通勤大学MBA8

[Q&A]ケーススタディ

グローバルタスクフォース(株)=著
GLOBAL TASKFORCE K.K.

通勤大学文庫
STUDY WHILE COMMUTING
総合法令

まえがき

本書『通勤大学ＭＢＡ８　「Ｑ＆Ａ」ケーススタディ』は、ＭＢＡで学ぶ世界共通のコンセプトや経営の原理原則の理解度を促進するトレーニングブックです。

本書では、通勤大学ＭＢＡシリーズ第一弾の『マネジメント』で扱ったＭＢＡの基礎五科目、①マーケティング、②ストラテジー、③ヒューマンリソース、④アカウンティング、⑤コーポレートファイナンスについて、ショートケース（事例研究）を用いた演習問題に取り組みます。

項目ごとに、「問題（事例）と解答の選択肢」、「マークのついた解答・解説（コメントとセオリーの紹介）」という二つの柱で構成されているため、ＭＢＡのエッセンスをより具体的・実践的に身につけることができます。まずは事例を読み、実際の場面を想定しながら、「自分ならどういった意思決定をするのか」という観点から選択肢を選びます。さらに、解説を通してビジネスにおける〝生きた原理原則〟を確認することで、それらの本質的な意味と各ビジネス機能のつながりを意識することができます。

つまり、原理原則を単に理論として学んだり、セオリーを暗記するのではなく、実際に仕事の中で日々行われる物事の分析や、それに伴う意思決定、さらに目的を捉えた後のアクションまでをイメージしながら、その背後にある裏づけとしての原理原則を確認することができるのです。

なお、本書においては〝MBAの視点〟を以下のように定義しています。

①ビジネス機能のつながりを〝体系的〟に理解する
②〝国際的に耐え得るロジック〟を用いる
③現実的な事例を用いて、具体的な意思決定を促す

■本書の目的と対象者

本書は、どの世界でも通用する「生きたビジネスの法則と理論」を結びつけて、それを自分自身の市場価値向上につなげることを目指すビジネスマンに読んでいただきたいと考えています。

読者が本書で実際のビジネス現場におけるマネジメントの各種理論の意味を学ぶことによって、理論を理論で終わらせず、現実のビジネスに通じる適切な意思決定と行動ができ

るようになることを期待しています。また、個々人がこれらの行動を意識することにより、それを共通言語として会社組織全体での議論にスピードと深みを持たせ、ビジネスの成功確率が上がることを願っています。

■本書の構成

読者がマネジメントの基礎五科目を本質的に理解し、実際に組み立てられるよう、実例による問題提起とそれに対応した解説を併せて体系的に学習できるように構成されています。

第1章では、まずマーケティングのコアコンセプトに関する事例に取り組みます。その後、各種マーケティングの個別政策について考え、最後に顧客維持型マーケティングを学びます。

第2章「ストラテジー」では、全体像としての経営戦略策定プロセスから入り、それぞれのステップごとのコンセプトと個別の戦略フレームワークについての事例に取り組みます。個別のフレームワークについて学習した後、戦略的なポジショニングについてのチェックをします。

第3章では、組織行動に関するトピックを中心に、モチベーションやインセンティブ、リーダーシップなど七つのコンセプトについて確認します。ここでは、組織の視点と個人の視点のバランスがとれた意思決定と行動をとるための基本的知識を体系的に考えていきます。

第4章「アカウンティング」では、財務諸表の基本的問題から入り、それぞれを活用した財務分析を含む財務会計、そして損益分岐点分析と管理会計を体系的にチェックします。

第5章では、コーポレートファイナンスにおいて最も重要である目的から始まり、各種の重要コンセプトを確認します。また、投資決定や企業価値の算定の過程において必要となる項目を理解することで、最終的な企業価値算定へと導きます。

なお、見やすさに対する配慮とより深い理解を促すために図を入れ、見開き二ページで一つのテーマが完結するようにまとめてあります。どの項目から読み始めても理解できるような構成になっていますが、基礎から実践へと体系的な学習をするために、さらに学習効果を最大限の学習効果をあげるためには、各章の初めから順番にマスターしていくことをおすすめします。

■謝辞

本書の出版にあたり、総合法令出版の代表取締役仁部亨氏、田所陽一氏、足代美映子氏、竹下祐治氏に感謝の意を表します。また執筆・構成のご協力をいただきました柴田健一氏（ハーバードビジネススクール）、ウイリアム・アーチャー氏（ロンドンビジネススクール）、後藤真也氏、田中奈美氏に感謝します。

目次

第2章 ストラテジー

第3章　ヒューマンリソース

第4章 アカウンティング

第5章　コーポレートファイナンス

本書を効果的に使うためのヒント

本書『通勤大学ＭＢＡ８ 「Ｑ＆Ａ」ケーススタディ』は、ビジネス上の問題を考える力をトレーニングするための入門書です。各事例（ケース）には、正解またはベストソリューションが提示されていますが、過度にこれらにとらわれる必要はありません。なぜなら、ビジネスケースには絶対的な正解など存在しないからです。したがって、各事例の解答はあくまで参考程度にとどめ、読者が自分なりの正解を考えるという作業のほうが重要になります。

ところで、多くのビジネススクールではケーススタディの手法が積極的に取り入れられています。その意図するところは、「ロジカルに分析して考え、そして説明するための訓練」です。

いくらテキストで理論を勉強したところで、それを実際のビジネスの現場で使いこなせなければ意味がありません。ビジネススクールでは、実際のビジネスの状況を描写した事例を見ることによって得た考え方を、また別の事例に応用するというプロセスを繰り返すことによって訓練が行われます。初めのうちは事例における問題点や分析の勘所がわからず、フラストレーションがたまるかもしれません。しかし、そういった経験を積み重ねることが大切なのです。

本書で紹介する事例は、ビジネススクールで用いられているものに比べ、かなり短く構成してあります。したがって、あまり肩に力を入れる必要はありません。ちょっとした空き時間にでも、頭の体操代わりに少しずつ読み進めてください。とはいっても、単に読み流すだけでなく、自分なりに事例の内容を膨らませながらロジカルに考える癖をつけていくと、現実のビジネスへの応用能力をつけるためにはより効果的でしょう。

この場合、基本的には自由に発想を膨らませていただいて結構なのですが、どのように考えればいいのかわからないという方のために、大切となる視点、つまり事例の整理や発展、そして応用に役立つヒントをいくつか挙げておきましょう。これらを参考にしながら読み進めることによって、本書で学んだことを現実のビジネスにおけるさまざまな場面に応用する力を養うことができます。

事例の本文および選択肢の前提条件を考える

各事例には、会社の規模や業界でのポジション、人物の性格や社内での立場などについてのあまり細かな記述はされておらず、多くのことが「暗黙の前提条件」として扱われています。読者にはまず、この隠れた前提条件を自分で考えることから始めていただきたいと思います。

その選択肢がなぜ正解もしくはベストソリューションなのか、そこに隠れた前提条件は何か。逆に、他の選択肢がベストではない理由にはどのような前提条件や背景があるか。また、他の選択肢をベストソリューションにするためには、どのような条件がそろえばいいのか……このようにさまざまな角度から考えてみてください。

実際のビジネスにおいても、この「隠れた前提条件をはっきりさせる」ということが問題の解決につながることがよくあります。誰しも、議論の相手とどうしても話がかみ合わなくて困ったという経験はお持ちでしょうが、そのような場合、そもそもお互いに異なる前提条件をベースに話を進めていることが食い違いの原因になっていることが多々あります。このようなケースでは、まず各自の前提条件を明らかにして検証し、合意することが解決の第一歩となります。

前提条件を考えるという訓練は、どんな問題にもあてはまります。たとえば、本書のファイナンスの章において、「現金をプロジェクト投資と銀行預金のどちらに使うべきか」を選ぶ問題があります。実際には、株主に配当として還元する方法もあれば、社員に報いるためにボーナスとして支給するという選択肢もあり得るわけです。

しかし、その事例においてあえて他の選択肢は考慮せず、「プロジェクトに投資しなければ、銀行預金しかない」という選択肢のみに絞った理由・意味があるはずだという発想をしてみてください。そうすれば、この事例の背景には、「会社の成長のための投資資金として、近い将来現金が必要」、もしくは「仮に、現在のプロジェクトに対して現金を投資しなくとも、しばらくは銀行預金にしておいて、引き続き事業拡大の機会を見つけてその現金を投資する」という前提条件が隠れていると考えることができるでしょう。

このような、ちょっとしたファイナンスの事例の中にも重要な前提条件が隠れています。そして、それを明確にすることが、事例分析の第一歩なのです。

事例を発展させてアクションプランを考える

アクションプランを考えることは、ビジネスケースから学ぶうえで非常に重要な方法となります。

ビジネスの状況を分析して方針を決定しても、実際の行動に移すための具体的なアクションプランがなければ何も始まりません。各事例の状況を想像しながら、自分がその状況にいると仮定し、選択肢の方針に基づいて具体的にどのようなアクションプランに落とし込むかを考えることが重要です。

たとえばマーケティングの事例で、「ある新しいセグメントに進出する」という選択肢を選んだとしましょう。その際、あなたは具体的にどうやって新しいセグメントの市場分析を進めるでしょうか。また、自社の既存の強みを活かすとすれば、新しいセグメントのさらにどの側面に焦点を絞るでしょうか。このように、各事例を発展させて考えることが大切なのです。

事例の内容を具体例に応用して考える

三番目に必要なのは応用力です。事例の解説から得られた考え方のヒントを参考に、実際の問題に応用するのです。

本書を読み進むうちに、自分の周りの過去や現在における状況と似通った事例が出てくるかもしれません。実際に遭遇した状況と事例のどこが似ていて、どこが違うのか。実際の場面ではどのように行動したのか。そして、それはなぜ成功（または失敗）したのかについて考えることが非常によい応用訓練になります。

自分の身の周りの例にとどまらず、新聞や雑誌、書籍、テレビなどで目にするビジネスの具体例にも目を向けると、さらに視野は拡大します。メディアに登場する事例は、現在多くの会社が抱えている問題の縮尺版のようなものです。新聞や雑誌を開けば、またニュースを見れば、同じような選択肢を迫られている会社がたくさんあることが発見できるでしょう。

それらの状況の類似点や相違点を見つけ、実際にとった行動などと対比させながら考えることは、理論の応用力を養うためには大切なことです。

以上の三つが、本書を読み進めるために重要かつ基本的な考え方のヒントです。

可能ならば、次に挙げる四つのことも実行できれば、本書からより多くを学ぶことができるでしょう。

フレームワークを深堀する

本書では、「プロダクト・ポートフォリオ・マネジメント」や「株主資本コスト」の考え方など、さまざまな経営理論やフレームワークが紹介されています。各理論やフレームワークについての詳細な説明は本書ではなされていませんが、関心を持ったものについては、さらに詳しく勉強してみることをおすすめします。そして、それらを用いてさまざまな事例の分析を試みたり、実際のビジネスの現場で応用したりしてみましょう。応用の積み重ねによって、自然にフレームワークを使った分析ができるようになります。

考え方のプロセスを図式化する

事例の分析を頭の中で行うだけでなく、積極的に紙などに書いて図式化することも有効です。それによって頭の中が整理され、問題点がはっきりと見えてきます。複雑な図式化は必要ありません。各事例の現状における問題点や前提条件、結論へ導くプロセスなどを簡単に整理するだけで構わないのです。

自分の考え方のプロセスを見直す

紙に書いた分析フローを後で見直すことも大切です。実際に経験済みという方もいらっしゃるでしょうが、ある時点における考えを後で見直すことによって、重要な箇所が抜けていたことが判明したというような場合が多々あります。同様に本書でも、一つの事例は一回読んで終わりというのではなく、いったん離れて問題を頭の中で〝熟成〟させた後、立ち戻って考える練習をしてみてください。なお、その際には、前述のように自分の分析のプロセスを簡単にでも紙に書いておくととても役に立ちます。

事例についてディスカッションする

現実のビジネスにおいて一人で考え、一人で結論を出すという状況は稀でしょう。通常は、多くの人の意見を聞きながら、自分だけでは思いつかなかった視点も考慮して、結論を導き出すものです。本書の事例についても同様に、積極的に周りの人とディスカッションしてみてください。異なる視点で物事を見ている人たちとのディスカッションを通じて、自分の視野が広がることでしょう。

第1章

マーケティング

1-1 SWOT分析

玩具メーカーA社は、現在、年々売上が減少しています。そのため、現状の打開のための戦略的マーケティングを考え、経営革新を図っていこうと考えています。

その第一段階として、同社は現在、社内外において自社が置かれている状況の把握、すなわち「環境分析」を実施することになりました。「SWOT分析」の手法を取り入れて環境分析を行うことで、最終的にA社の今後の戦略方針を決めていく考えです。SWOT分析とは、強み（Strength）、弱み（Weakness）、機会（Opportunity）、脅威（Threat）の頭文字をとったもので、競合と比べての強みと弱みは何か、環境の変化における機会と脅威（外的要因や競争相手によるもの）はどのようなときかを分析する方法のことです。

現在A社が置かれている状況を社内外で洗い出してみたところ、次のようなことが明らかになりました。

まず社外における環境変化としては、①ＩＴ技術の発達、②少子高齢化の進行（A社の主要ターゲットであった子供の減少)、③海外メーカーの進出などが考えられます。次に、A社が社内において所有する経営資源を分析してみたところ、①強みとしては、人員や設備において新商品開発の能力が高く、グッドデザイン賞など数々の賞を受賞した商品もあること、②弱みとしては、営業力が弱いことが挙げられました。

Q　A社の今後の戦略方針として適さないものは、次のうちどれでしょうか?

1. 営業力の弱さをインターネット販売など、IT技術を使った方法でカバーする。
2. 現在はネットワーク技術が進んでいるため、小売業や卸売業などと共同で商品開発を進め、市場のニーズに即した商品づくりを考慮。
3. 商品開発力を活かして、これまでターゲットとしていた子供層からビジネスマンや高齢者層へ向けた商品開発に切り替える。
4. これまで培ったノウハウや強みを活かして子供向け商品の開発に力を注ぎ、弱みである営業力は、営業マン一人あたりの販売目標を引き上げることでカバー。
5. 営業人員や営業所の増加などで営業力をアップさせ、その分他社商品の模倣を行うことなどにより商品開発力を削減する。

ANSWER & COMMENTARY

A 5

強み・弱み・脅威・機会をバランスよく考えて次の一手を

SWOT分析を実施する際の手順としては、まず、自社経営資源の**強み**（S）および**弱み**（W）は何か、また外部環境（競合、顧客、マクロ環境など）の変化に伴う**機会**（O）および**脅威**（T）は何かを洗い出します。

次に、その洗い出された情報から今後の戦略方針を策定すると、以下のようなものが挙げられます。

①強みを機会に対して活かす（A社のケースでは選択肢2に相当）
②強みを脅威の克服に活かす（選択肢3に相当）
③弱みを、機会に乗じて克服する（選択肢1に相当）

選択肢4（強みを活かして子供向け商品の開発に力を注ぎ、弱みである営業力は、営業マン一人あたりの販売目標を引き上げることでカバー）は、自社の強みである商品開発力

SWOT分析

	好影響	悪影響
内部環境	強み（S）	弱み（W）
外部環境	機会（O）	脅威（T）

	機会（Opportunity）	脅威（Threat）
強み（Strength）	自社の強みで取り込むことができる事業機会は何か？	自社の強みで脅威を回避できないか？他社には脅威でも自社の強みで事業機会にできないか？
弱み（Weakness）	自社の弱みで事業機会を取り逃さないためには何が必要か	脅威と弱みが合わさって最悪の事態を招かないためには？

を活かすことはできます。しかし、子供市場が縮少傾向にあることを考慮する必要があるとともに、営業マンの販売目標を引き上げたところで、弱みである営業力をカバーすることはそう簡単にはできないでしょう。

選択肢5は、なにより弱みである営業力のカバーを優先させようとしている戦略です。しかし、弱みがそう簡単に克服できるとは考えにくいうえに、他社商品の模倣をしていたのでは商品開発力という強みがなくなってしまいます。「営業力が弱い」という弱みを克服するためには機会や自社の強みを活用すべきなのですが、選択肢5はその逆になっているのです。よって、A社にとって最も適さない戦略であるといえます。

1-2 セグメンテーション

製菓会社Bは、成長戦略の一つの手段として、新製品を開発することを考えています。これまでは、研究室で開発した製品の中で子供に受け入れられそうな製品を選んでそのまま販売していましたが、新社長の意向により、「顧客ニーズ重視の商品づくり」を念頭に置いた新製品の開発を行うことが最優先課題となりました。

そこで新たにマーケティング機能を備えた商品開発部門を設置し、今後どういった方法で商品開発を進めていくかを検討することにしました。そしてその第一歩として、B社の顧客となる市場がどこにあるのかを検討することになりました。

なお、B社は中規模の製菓会社です。

Q この際、B社が採るべき方法は次の五つのうちどれでしょうか?

1．できるだけ多くの人に受け入れられたいので、対象をあえて絞らない。

2．顧客となりそうな市場を年齢、性別、ライフスタイルなど一定の基準で区分して、区分した集団ごとに市場調査を行う。
3．自社の製品の中で最も品質の優れているものに対する市場調査を行い、現在の製品において不満足な点を洗い出す。
4．一般的に考えて子供層におけるお菓子の消費量が最も多そうであるため、対象を子供層に絞る。
5．商品の質が最も大事であるため、研究室の開発で合格した製品を見たうえで、その製品に合った市場を検討する。

ANSWER & COMMENTARY

すべての顧客を相手にしていては競争優位性の確保は困難

A 2

たとえ大企業であっても、保有する経営資源には限りがあります。そのため企業は、すべての市場をカバーするのではなく、自社にとって最も魅力的な市場を狙っていかなければなりません。このように、市場を細分化（セグメント化）して標的市場を狙うという方法は**ターゲットマーケティング**と呼ばれます。これを行うことにより、「標的市場の選定とその市場における競争優位性の確保」を図ることができるのです。

ターゲットマーケティングは、図のように（環境分析＝SWOT分析↓）**セグメンテーション**（市場を一定の基準に従って同質と考えられる小集団に細分化する）↓**ターゲティング**（細分化された小集団のどれに狙いを定めるかを決める）↓**ポジショニング**（選定したセグメントに対し、他社にはない差別的優位性を見つけ出してプロモートする）といった手順で行われます。選択肢2は、このターゲットマーケティングの第一段階であるセグ

ターゲットマーケティング

意　義	①標的市場の選定 ②その市場における競争優位性の確保
手　順	セグメンテーション ↓ ターゲティング ↓ ポジショニング

セグメンテーション変数

地理的変数	エリア、都市規模、人口密度、気候など
人口統計的変数	年齢、性別、家族数、所得、職業、家族ライフサイクルなど
心理的変数	社会階層、ライフスタイル、性格など
行動的変数	追求便益、使用者状態、使用頻度、ロイヤリティー、購買準備段階、製品への態度など

メンテーションの手法なのです。

セグメンテーションの際にはその基準が重要となり、①地理的変数、②人口統計的変数、③心理的変数、④行動的変数という四つの属性を選択または組み合わせて軸をつくっていきます。それぞれの詳細については図を参照してください。

また選択肢1については、B社が中規模であることから経営資源の限界を考えても適切だとはいえません。選択肢3は、市場調査をしているため間違いではありませんが、出発点が「製品ありき」で、顧客を出発点とするマーケティングと逆行しています。そして選択肢4と5は推測に頼り、顧客の観点が入っていないため妥当ではないといえるでしょう。

1-3 ターゲティング

小中学生を顧客対象としている製菓会社B社は、現状のマーケティング政策を見直すために市場調査を行いました。その結果、「女子高校生」「ＯＬ」「小中学生」「高齢者」といった四つの属性グループが同社のお菓子の主な顧客層として浮かび上がってきました。また顧客層ごとに、お菓子を選択して購買に至るまでの意思決定の基準が異なっていることも判明しました。さらに、それぞれの顧客層に関して次のような特徴が発見できました。

①女子高校生…市場の規模は大きいが成長性が低く、収益性も低い。ただし、この顧客層を中心にブームが起こることが考えられるため、多くの企業がターゲットとしている。

②ＯＬ…収益性が高く、市場規模は少さいが市場成長性は高い。ただ、「女子高校生」と同様、市場におけるB社の製品の開発・マーケティングノウハウは乏しい。

③小中学生…この市場における製品の開発・マーケティングノウハウは蓄積されている。ただし、収益性や市場成長率は低い。

④高齢者…B社にとって、「小中学生」に次いで二番目の顧客層。市場の規模は小さいが、収益性は高く、市場成長率も高い。

Q　B社は、今後どの市場をターゲットに、どのような戦略を行うべきでしょうか？

1. 市場規模が大きく、また成長していても、商品の付加価値と儲けの度合いを示す収益性が低ければ商品ラインを閉鎖せざるを得ない。収益性の高い「ＯＬ」と「高齢者」を対象とした利益率重視の事業展開をする。
2. 「女子高校生」市場の競争激化は需要が大きい証であるため、この市場をターゲットに他社に似せた製品で開発能力の欠如を補い、少ない投資で大きなリターンを目指す。
3. 四つの顧客層にあてはまる購買基準の共通項を検討し、すべての顧客層に共通して受け入れられる商品ブランディングとマーケティング企画を行う。
4. 「ＯＬ」は商品開発で必要な資源の有無、「小中学生」「高齢者」は市場の規模・成長性を再調査し、進出可能な顧客層を一つもしくは複数選択する。
5. すべての顧客層における商品ポートフォリオをつくることで、商品開発におけるリスクを下げる。そのため、四つの顧客層それぞれの属性に合った商品開発を行う。

ANSWER & COMMENTARY

セグメント評価の三要素に基づき、細分化された顧客グループを評価

A　4

ここでは、お菓子の市場を一定の基準に基づいて小集団に分割したうえで、その細分化された小集団のどれに狙いを定めるかを決める「**ターゲティング**」について考えます。それには、それぞれのセグメント（区分）の魅力度評価をしたうえで選定を行う必要があります。

セグメントの評価は、次の三つのポイント（要素）を検討します。

①規模と成長性
②収益性
③自社の長期的目標や資源・スキル

まず選択肢1については、②の収益性の観点から見ればよいといえますが、残りの①と③の観点からの調査が不足しています。また選択肢2と3は、セグメント評価における三

市場セグメントの評価

セグメントの規模と成長性	自社にとって適正な規模があるか
セグメントの収益性	収益的に魅力があるか
自社の目標と資源・スキル	自社の目標に合致しているか 実行するための資源は備わっているか

各属性グループにおける市場環境

（B社のケース）

	市場規模	市場成長性	収益性	特　徴
女子高校生	大きい	低い	低い	●この属性グループに関する製品開発・マーケティングノウハウは乏しい ●この顧客層を中心にブームが起こることが考えられるため、多くの企業がターゲットとしている
OL	小さい	高い	高い	●この属性グループに関する製品開発・マーケティングノウハウは乏しい
小・中学生	小さい	低い	低い	●B社で最も大きな顧客層 ●この属性グループに関する製品開発・マーケティングノウハウは豊富
高齢者	小さい	高い	高い	●小・中学生に次いでB社では2番目の顧客層

要素についての検討がなされていません。

そして選択肢5については、市場の規模や収益性の視点が抜けています。そのため、重要な意思決定を下すことは大きなリスクとなります。

よって、①〜③すべての視点が含まれている選択肢4が、B社にとって最も適した戦略といえます。

1-4 ポジショニング

製菓会社B社は、「OL層」を標的市場の一つとして掲げ、今後の事業展開を行うことにしました。そこで、OL層に自社ブランドの製品が受け入れられるよう、現在さまざまな戦略を考えています。

ところで同社は、従来子供をターゲットにした低価格商品の開発を行っていたため、OL層へ向けてのマーケティング戦略は今回が初めての試みとなります。

なお、この層の市場はシェアの争奪が激化している状況にありますが、成長市場ということもあり、B社としては早いタイミングで参入して、少しずつシェアを獲得していきたいところです。

Q 次の四つの戦略の中で、最もB社に適した戦略はどれでしょうか？

1．B社は、OL向けの製品開発に関してノウハウ不足である。そこで、参考となる競合他社製品と同じ製品開発・チャネルを使うなど、同様の戦術をとることで方向性を合わせる。

2. 自社の強みを徹底的に活用する。子供層を対象に「おまけ付き製品」を開発した経験を活かして、OL向けの「おまけ付き製品」の開発を行うことにより、自社資源の活用を促す。

3. 製品の差別化を図るために、価格面や品質面、デザイン面や、食感などを軸に現在の他社製品の位置づけを図で表してみる。そしてその中で、他社がまだ進出していないセグメントに位置づけられる製品の開発を考える。

4. 後発組のB社が既存他社との製品差別化を図るためには、高品質ブランディングを行うことが必要である。低価格で提供してきた製品群を高価格路線に変更して勝負することにより、購入されなくとも高価格・高品質というブランドイメージを植えつける。それにより、既存商品との明確な違いを訴える。

競合との差別優位性を見出すことを意識したポジショニングマップを作成

A 3

ターゲットマーケティングの最後の段階であるポジショニングとは、「選定したセグメントに対し、競合相手より魅力的であることを示すために、他社にはない何らかの差別的優位性を見つけ出してプロモートする」ことです。検討の仕方としては、大きな市場環境から自社の具体的な差別化部分へと、大から小へ順に検討する必要がありますが、具体的なポジショニング方法の一つとしては、**ポジショニングマップ**の活用というものがあります。これは、価格とデザインなど基準となる軸を二つとり、他社商品の特徴を示すことで、自社が勝負すべき特徴の幅を考えるというものです。

選択肢1は、他社と同じ製品・チャネルで勝負したのでは、お互い最大のシェアを獲得することができないうえ、新製品の位置づけが難しくなります。また選択肢4は、他社との差別化は図れているものの、今まで低価格路線でマーケティング展開を実施してきたB

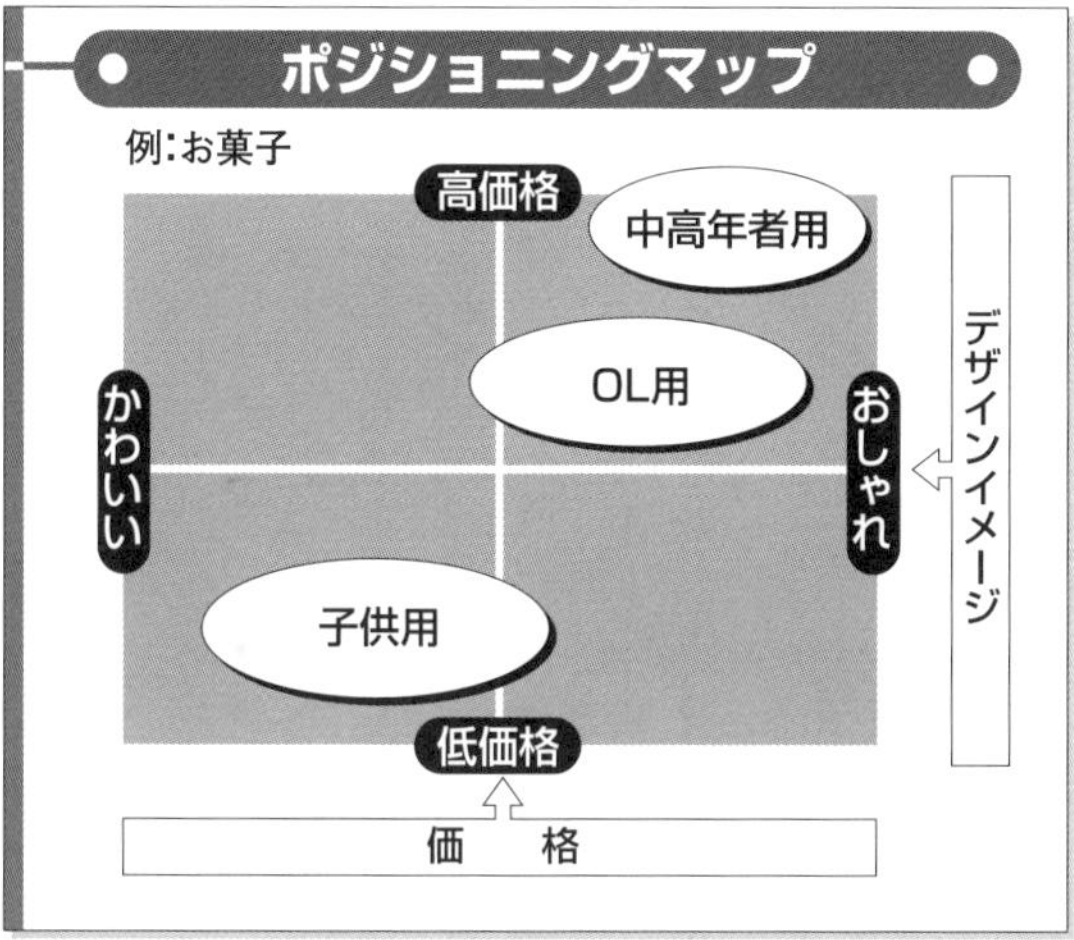

社が、必要となる資源がまったく異なる高価格路線をとることは資源の無駄ともいえます。

さらに選択肢2は、製品に付加価値をつけるという差別化ではあるものの、具体的手段の一つにすぎません。まず他社商品との比較など、市場全体から見た新商品の位置づけのような大局的な見方が必要といえます。そして選択肢3の方法では、製品自体での差別化をまず検討することで、「OL市場」における新製品の位置づけを明確にすることができ、そこから最終的な新商品の決定へ導くことができます。よって、最もB社に適した戦略であるといえます。なお、他社との差別化を図る方法には、製品の差別化のほかにサービス・イメージの差別化などがあります。

1-5 製品政策

飲料メーカーのC社は、①健康飲料（市場シェア五〇％、昨年比市場成長率一五〇％）、②コーヒー飲料（市場シェア四五％、昨年比市場成長率九〇％）、③茶系飲料（市場シェア一五％、昨年比市場成長率二〇〇％）、④炭酸飲料（市場シェア一〇％、昨年比市場成長率五〇％）という四つの商品群を取り扱っています。

現在、飲料業界も全体的に不景気であり、それにより売上額は減少傾向にあります。商品群別に売上高を見ると、広告費などの出費により健康飲料と茶系飲料、炭酸飲料が赤字でした。

Q **C社にとって、今後を見据えた政策として妥当なのは、次の五つのうちどれでしょうか？　なお、C社は財務的には安定しており、長期的な政策を立てて投資ができる環境にあります。**

1．市場が成長しており、市場シェアの維持費がかかる健康飲料や茶系飲料から撤退し、他の商品への投資に充てる。
2．とりあえず市場シェアの低い茶系飲料と炭酸飲料から撤退し、その分コーヒー飲料のシェア確保に努める。
3．できるだけ多くの人を対象とし、どの市場からの撤退も考えずに現状維持を続け、景気の回復を待つ。
4．市場の伸びが期待できない炭酸飲料から撤退し、コーヒー飲料の収益による資金を茶系飲料と健康飲料に投資する。
5．炭酸飲料から撤退し、唯一の黒字事業であるコーヒー飲料をさらに拡大させて収益増大を図る。

ANSWER & COMMENTARY

自社製品群の中での最適な組み合わせを検討

A 4

C社の事例における政策を検討するうえで考慮すべき点は、全社的に製品政策を考えるということです。

企業の経営資源は限られています。そのため、展開する複数の製品についてその組み合わせを最適化し、経営資源を有効に配分しなければなりません。**プロダクト・ポートフォリオ・マネジメント（PPM）**では、製品がどのような段階にあるかを表すために、横軸に「相対的マーケットシェア」の高低、縦軸に「市場の成長率」の高低をとり、四事象のマトリックスをつくります。これは、「相対的マーケットシェア」を資金の流入、「市場の成長率」を資金の流出と捉え、複数製品への資源の有効配分を分析する枠組みです。

ここでは、市場成長率は低いが相対的マーケットシェアが高く、キャッシュを多く創出している製品（**金のなる木**：コーヒー飲料が該当）からのキャッシュを、次世代の柱とす

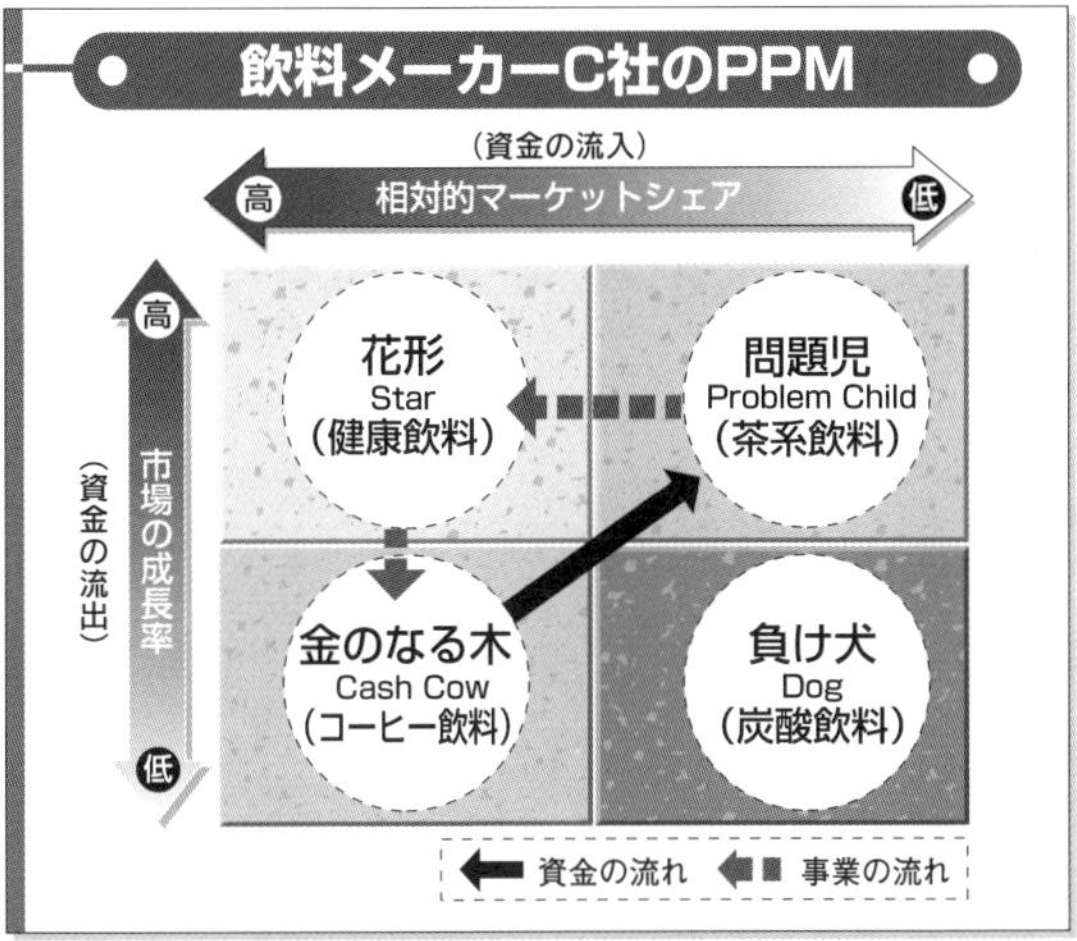

べき製品に充てるのが理想であると考えられます。そこで、コーヒー飲料で得た資金を、相対的マーケットシェアが低いため資金の流入は小さいが市場成長率が高く、資金の流出が大きい製品（**問題児**：茶系飲料が該当）への投資に充てます。このように問題児である茶系飲料の相対的マーケットシェアを高くして、マーケットシェアも市場成長率も高い製品（**花形**：健康飲料が該当）に育て、市場成長率が鈍化したときにキャッシュを流入させようというシナリオを描くことができます。

よって、問題児である茶系飲料、花形製品である健康飲料に投資を充て、それらが金のなる木に成長したときキャッシュを回収するという製品ミックスをとるのが妥当です。

1-6 価格政策

S社は飲料メーカーです。このたび新製品として、栄養ドリンク剤の開発に成功しました。今回は、五年の年月をかけて開発した新たな滋養強壮薬J（特許取得済み）が入っており、他社には追随できない栄養ドリンク剤「Jパワー」を完成させたのです。なお、栄養ドリンク剤についてはS社製品は定評があり、医薬品製造の許可を得ているので、医薬品としての販売を行う予定です。

S社は新製品のほかにも、高価格で設定された栄養ドリンクを二品種市場に出しており、これまではまずまずの売上でした。しかし競合他社との競争激化により、ここにきて売上も減少しつつあります。

なお、消費者は健康重視の志向にあり、体によいものにはお金を惜しまない傾向があります。

Q

今回、この「Jパワー」を市場へ出すにあたり、価格設定を行うこととなりました。価格設定方法として、最適と思われるものはどれでしょうか？

1．医薬品である栄養ドリンクは参入障壁が高いが、なるべく市場への認知度を上げるため、最初はできるだけ安く販売する。

2．価格設定を行うには、栄養ドリンク剤のトップメーカーの値段設定を参考にして、トップメーカーより少しでも安い価格で提供する。

3．他社製品の売れ行きや顧客の要望も考慮したうえで、初めは高い利益率で価格設定し、市場に浸透していくとともに価格を下げていく手法をとる。

4．これまでに発売した栄養ドリンクは高価格設定で成功を収めてきたので、今回の新製品も前回と同じ価格設定にする。

5．市場に浸透させるため、最初から安い価格で市場に参入していく。

「低価格だから売れる」「売るために安くする」は危険

A 3

新製品の価格設定については、二つのパターンがあるといわれています。一つは、製品開発にかかった多額のコストを早期に回収するために最初から高い価格を設定する**上層吸収価格政策**、もう一つは、導入時に多くの消費者に購入してもらい、マーケットシェアを高めるために最初から低い価格を設定する**市場浸透価格政策**です。

上層吸収価格政策は製品差別化を図ることができるため、価格弾力性が小さい製品に適しています。ただ、高額所得者の潜在的ニーズがあり、競合が簡単に真似ができないような製品でなければ、適用は難しくなります。

一方、市場浸透価格政策は新製品の市場普及を迅速に促し、早期のマーケットシェア拡大を狙いとします。幅広い需要があり、価格弾力性が大きく、大量生産によるコスト低下によって低価格が実現できる製品に適しています。また、価格設定時に考慮を必要とする

新製品の価格設定方法

	目的	価格	条件
上層吸収価格政策	開発コストの早期回収	高価格	価格弾力性が小さい製品
			参入障壁が高い製品
市場浸透価格政策	マーケットシェアの早期拡大	低価格	価格弾力性が大きい製品
			幅広い需要がある製品

事項としては、コスト・需要・競争状態があります。

　飲料メーカーS社のケースでは、特許取得で参入障壁も高く、消費者は健康志向で体によいものにはカネを惜しまず出すことから、価格弾力性は低いと考えられます。そのため、上層吸収価格政策を採用するのが妥当であると考えるべきでしょう。そうなると、選択肢3が最も適した方法といえます。

　一方、選択肢1と5は、特許を取得し、参入障壁も高い栄養ドリンクに関して市場浸透政策を考えている点から、妥当ではないといえるでしょう。そして、選択肢2と4はそれぞれ根拠に乏しく、こちらも妥当でないといえるでしょう。

1-7 チャネル政策

中堅アパレルメーカーK社は、今後のマーケティング政策を行ううえで、流通チャネルを変えていくべきかどうかを検討中です。現在は、小売店への直接販売や、卸売業を通して小売店へ流通させるといった流通チャネルがあります。

K社は、派手ではないものの丁寧な商品づくりと社員の質を強みに着実に成長してきました。そしてこのたび、世界でも有名なイタリアのアパレルメーカーG社と日本における新製品の販売に関する独占ライセンス契約を発表し、一躍脚光を浴びることになりました。

この契約は、世界最高レベルのブランドで商品の差別化を高め、固定客化の促進と売上の安定化を図ることを目的としています。ライセンサーであるG社へは売上の五%をライセンスフィーとして上納する契約です。また、G社の世界戦略に基づき、計画的な利益計画を立てるためライセンシー（ライセンスを受ける者）の提出する売上見込みも正確に計算しました。売上目標の七〇%以下を二年間続けるとライセンスが剥奪される一方で、一三〇％以上達成した際には報奨金が出され、それを五年間続けた場合はライセンスフィーが三％に下がるというメリットがあります。

Q 今後の流通経費の削減を考慮したうえで、チャネルを変えてより効率的な商品の提供を行っていくためには、K社はどのような展開を考えるべきでしょうか？

1．教育などのサポートやリベートなどチャネル維持には大きなコストはかかるが、少ない中間業者に集中して販売チャネルをつくり、計画的な販売を行う必要がある。
2．中間業者の数を増やし、強力なライセンスブランドをバックに販売拠点を最大限増やすことで地理的にもカバー。量的にも、K社の秘密兵器としてG社の商品を販売する。
3．中間業者を減らし、既存の業者の中で最も販売成績のよい者を選択したうえで、数を最適にする。
4．アパレル関連商品のライフサイクルに合わせ、導入時にはディスカウントストアで販売し、成熟段階に入ったところで専門性の高い専門店で販売する。
5．さまざまなチャネルで販売すると管理が煩雑・困難になり、コストの増大が考えられる。値段が高い製品ほど、なるべく取り扱いチャネルの削減を考慮する必要がある。

ANSWER & COMMENTARY

専売的チャネルで差別化された商品を固定客に安定的に提供

A 1

ここでは、特にチャネルの設計の中で流通業者の数（幅）について考えます。チャネルの幅には開放的チャネル政策、選択的チャネル政策、専売的チャネル政策の三つの分類があり、それぞれについて特徴と取り扱う製品の適合性などを検討することができます。

①**開放的チャネル政策**…中間業者の数を限定しないことで、多くの販売を期待することができますが、逆に忠誠心や販売に関するコミットメントを与えることはできません。

②**選択的チャネル政策**…条件に合致した販売先にのみ製品を流すことで、ある程度の中間業者の協力やコミットメントを期待でき、売上を安定化させることができます。

③**専売的チャネル政策**…中間業者を特定地域において一業者に独占的に流通させるチャネル政策です。中間業者の協力と最も大きなコミットメントを期待することができます。

K社の例では、「商品の差別性を高め、固定客化の促進と売上の安定化を図る」といった

チャネル政策

	開放的チャネル政策	選択的チャネル政策	専売的チャネル政策
目　的	中間業者の最大化による売上増大	リテールサポートによる売上安定化	差別化を高め、固定客化の促進と売上の安定化
中間業者の協力度	期待できない	期待できる	かなり期待できる
中間業者の数	最も多い	少ない	かなり少ない
広告費の節減度	かなりかかる	普通	ややかかる
販売予測	不正確	やや不正確	正確
商品分類適合性	（日用雑貨、食品）	（家電、医薬品）	（自動車、石油）
主なプロモーション戦略	プル戦略（広告重視）	プッシュ戦略（人的販売重視）	プル戦略とプッシュ戦略の複合型
チャネルパワーと依存度	小	中	大
チャネル維持費用	小	中	大

目的から、専売的チャネル政策により確実なブランドイメージと正確な販売実績を蓄積していくべきであると思われます。よって、選択肢1がK社に最も適した展開といえます。

選択肢2は日用雑貨や食品などの最寄品に使われる開放的チャネル政策をとることになり、中間業者の協力が得られないうえ販売予測が不正確となります。選択肢3の中間業者の削減はよい方法ですが、販売成績を基準にするのでは選択的チャネル政策となり、これも不適切です。選択肢5も取り扱い業者の削減は正解ですが、チャネルの拡大で管理が大変になるというのは間違いです。そして選択肢4は、ライフサイクルなどといった特に根拠のない説明であるため適切ではありません。

1-8 プロモーション政策

T社は、二枚刃カミソリ、使い捨てカミソリ、ガード付きカミソリ、三枚刃カミソリの計四種類を製造しています。

二枚刃カミソリは設立当初からの製品で愛用者も多く、経験曲線の効果もあって低価格で販売していますが、自社の新製品や他社製品に押され、売上は減少しています。また、使い捨てカミソリは他社製品の価格設定に追随せざるを得ず、利益はほとんどない状態で販売しています。しかし、ホテルやゴルフ場などでも需要があるため、常に一定の需要は確保しています。

ガード付きカミソリも、発売当初は売れ筋商品でしたが、現在は同業他社も追随し、市場は飽和状態になりつつあります。そして、三枚刃カミソリは導入間もない製品であり、まだ売上も少ないのですが、その一方で参入企業も少ない商品です。

Q　**T社における今後のプロモーション政策として最も適しているものは、次のうちどれでしょうか？**

1．二枚刃カミソリは昔から顧客に受け入れられてきたロングセラー製品であるため、広告活動を積極的に行って売上減少を食い止める。
2．三枚刃カミソリは導入間もない製品であり、画期的な機能も備えている。開発費を回収するためにも、広告費などのプロモーション費用をなるべく抑え、利益率を高める。
3．売上高が高い製品は積極的にプロモーションを実施する必要があるため、それぞれの製品群ごとに売上高に比例した広告費を定める。
4．ガード付きカミソリは、市場が飽和状態になって売上も下がりつつあるため、広告費を抑える。その分を、新製品である三枚刃カミソリの広告費に充てる。
5．三枚刃カミソリについては、人的販売（販売員などが商品の特性や効用を客に説明することによって販売する方法）やクーポン、懸賞といった販売促進を積極的に行い、ガード付きカミソリについては、テレビや新聞などのメディア広告を積極的に展開する。

成熟期の製品プロモーション費用は少なくして、導入期の製品へフォーカス

A ４

T社の事例は、**プロダクトライフサイクル**の各段階における適切なプロモーション政策についての問題です。通常、製品も人間の一生と同様、導入から衰退までに**導入期→成長期→成熟期→衰退期**という四つの期間を経ます。この推移の様子をプロダクトライフサイクルといい、各段階ごとのマーケティング政策を明らかにすることができます。

まず、今回の設問における各商品が、プロダクトライフサイクルのどの段階であるかを見てみましょう。すると、①二枚刃カミソリ＝衰退期、②使い捨てカミソリ＝成熟期、③ガード付きカミソリ＝成熟期、④三枚刃カミソリ＝導入期、となることがわかります。

これを前提にして考えると、選択肢1は、衰退期製品は認知度が高いうえに売上が下がるということで、プロモーションを積極的に行ったところで効果は少ないといえます。また選択肢2は、導入期製品のプロモーションです。市場における認知度アップを早めるた

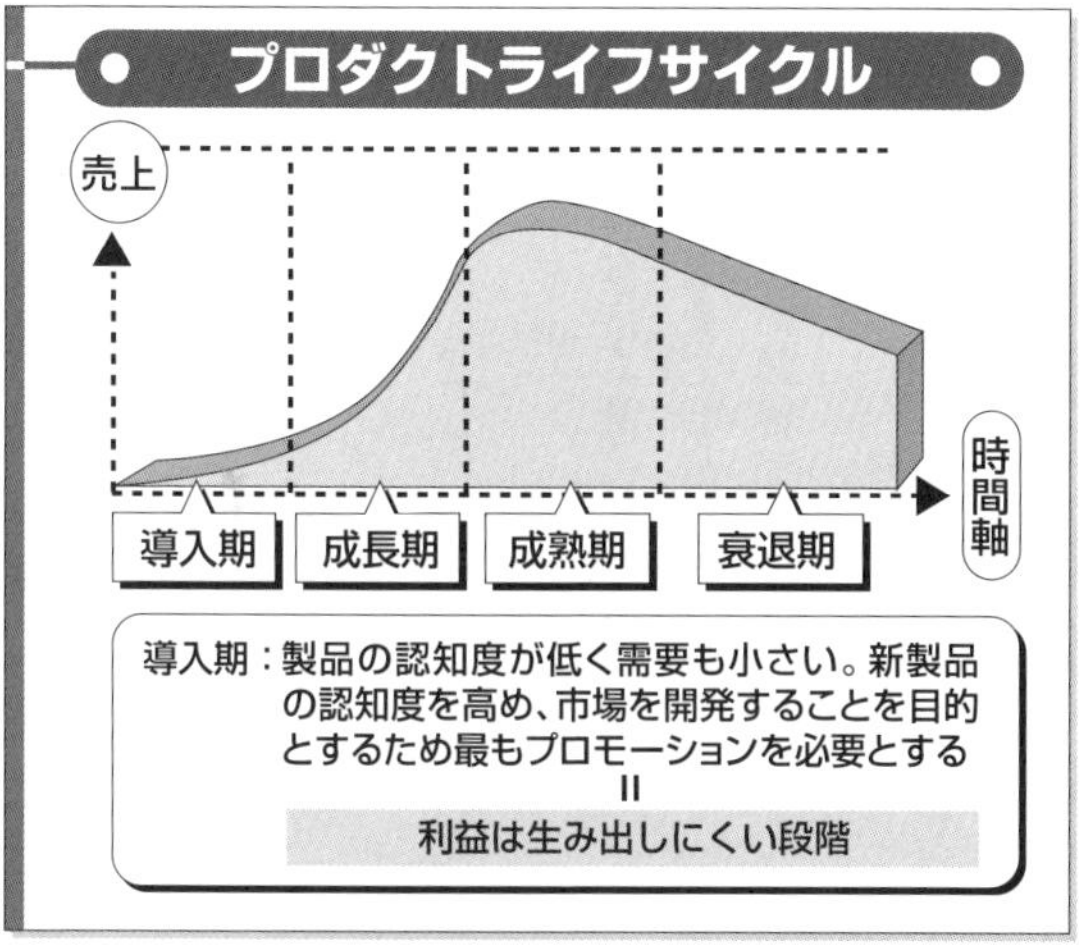
プロダクトライフサイクル
売上
時間軸
導入期
成長期
成熟期
衰退期
導入期：製品の認知度が低く需要も小さい。新製品の認知度を高め、市場を開発することを目的とするため最もプロモーションを必要とする
＝
利益は生み出しにくい段階

めにも最もプロモーションに力を入れるべき時期、つまり最大限のプロモーションを実施すべきであるため適切な方法ではありません。

さらに、導入期のほうが売上高が少ないので、選択肢3では導入期にある製品のプロモーション費用が少なくなり、成熟期の製品のプロモーション費用が多くなってしまいます。その意味で、成熟期にある製品のプロモーション費用を抑え、導入期の製品に多額のプロモーション費を充てるという選択肢4は、適切な政策であるといえます。選択肢5に関しては、一般的には導入期の製品に広告などのプル戦略、成熟期の製品に人的販売や販売促進といったプッシュ戦略を採用するのが定石ですが、その逆になってしまっています。

1-9 顧客維持型マーケティング

F百貨店の売上は伸び悩んでいます。新規出店する百貨店や異業態からの出店によって市場が飽和状態となっていることが、それを引き起こしている原因と考えられます。そこでF百貨店は、新しい戦略として「顧客維持型のマーケティング展開」を行うことを決断しました。

まず会員制度を導入し、割引をはじめとする数々の特典を設定することにより会員の増加を狙いました。会員の増加によって、会員に関するさまざまな情報入手が可能となり、その情報を基に顧客データベースによる顧客管理を行うことができるからです。

このデータベースは、顧客の①名前、②住所、③性別、④職業、⑤購買履歴がわかるシステムになっています。そしてそれらを基に、会員に対して新サービスを展開していくつもりです。

Q 会員に対してどのようなサービスを行うことが、顧客維持につながる政策となるでしょうか？

1. 「顧客は平等」という考えの下に、すべての会員に対して同じサービスを行う。
2. 市場シェアの奪回のため、新規会員の獲得に力を入れる。非会員を中心にDMやサンキューレターなどを送り、新規顧客増を図る。
3. 最終購入日、購買頻度、今年の購入金額累計などの購買履歴を基に、F百貨店にとって大切な顧客をランクづけし、そのランクに応じたサービス戦略を展開する。
4. 住所や百貨店へのアクセス手段などを解析し、自社に来店する確率が高そうな顧客を選別し、ランクづけする。そしてランクの高い人から順に、割引や特典などのサービスを増やす。
5. 一年間の購買回数が多い顧客を優良顧客として選び出し、その顧客に対してサービスやプロモーションを集中させる。

顧客の三つの変数を分析してランクづけ

ANSWER & COMMENTARY

A 3

ここでは**顧客維持型マーケティング**という概念について考えていきます。従来型のマーケティングはプロダクト（製品）に焦点を絞った分析や広告宣伝を核とする政策立案が中心ですが、顧客維持型マーケティングは顧客情報に焦点を絞り、既存の顧客の購買を促進して顧客内シェアを高める政策です。この方法では、広告費や人件費を大量に使って新規顧客を開拓するより少ないマーケティングコストで大きな収益を上げることが可能となります。

選択肢3は、この顧客維持型マーケティングの手法の一つである**RFM分析**です。Recency（最近：最後の購入日からどれくらいの期間が経過しているか）、Frequency（頻度：過去一年など、一定期間における購入回数）、Monetary（金額：一定期間での購買金額）の頭文字をとったもので、データベースを使用して顧客の過去の購買履歴を分析し、企業にとっての最優良顧客を抽出する手法です。三つの変数それぞれに企業独自に設定された

RFM分析

**最も効率的にアプローチすべき顧客グループを
RFM分析を用いて抽出**

例）

Customer Name	Recency	Frequency	Monetary	Score	Priority
Yusuke Ono	9	10	9	28	A
Tomoko Ohno	10	8	8	26	A
Shinako Suzuki	9	8	8	25	A
Yukiko Ito	8	9	7	24	A
Ichiro Sasaki	7	7	8	22	A
Goro Watanbe	6	8	7	21	A
Hiroyuki Sato	7	6			

R(Recency《最近》)：最も最近購入した年月日
F(Frequency《頻度》)：一定期間における購入回数
M(Monetary《金額》)：一定期間における購買金額

※それぞれの変数に企業独自に設定されたウエイトをつけ、その合計の評価点で顧客のランクづけを行い、ランクに応じたサービスやプロモーションを実施

ウエイトをつけ、その合計の評価点でターゲットとすべき顧客の抽出およびプライオリティー（優先順位）づけを行います。

選択肢1と2は、顧客維持型の戦略というよりは従来型の顧客獲得型のマーケティングです。この戦略は市場がまだ飽和状態でないときは有効ですが、既に飽和状態でなかなか新規顧客の獲得が難しい場合は有効的であるとはいいにくいものです。また、選択肢4は顧客獲得のための有効策と捉えられますが、購買履歴というデータベースに基づく顧客維持型マーケティングとはいえません。そして、選択肢5は間違いではありませんが、購入頻度だけを基準に顧客を抽出しているため不十分だといえます。

第2章

ストラテジー

2-1 経営戦略策定プロセス

大型テーマパークを運営するO社は、不況にもかかわらず業績が好調です。O社は経営理念を「子供に夢を与えること」と設立当初から設定しています。この考えは全従業員に浸透しており、会社の目的や進むべき方向、機会についての意識を共有させ、企業目標に向けて一体となって進ませる「見えざる手」として働いています。

昨年オープンした大型テーマパークが爆発的な人気を呼び、子供だけでなく、大人の来場が目立ちました。そのおかげでO社の保有キャッシュは大幅に増え、次なる投資を模索しているところです。

今年度の会議において、社長が「アダルトな客層が大幅に増えたことは明らかである。そのため、当該テーマパーク付近にアダルト専用のファッションホテルを一〇件ほど運営する」というプランを思いつきで提案しました。さらに社長は、社長室長であるあなたに、この思いつきのプランが正しいものかどうかを確かめるために、改めて全社的な経営戦略を策定するプロセスをしっかりと定めてほしいと依頼してきました。

Q　「経営環境の把握」「事業（競争）戦略の確立」「事業の選択」「事業領域の確立」「経営理念」という五つの言葉を並べ替えて、社長が求める全社的な経営戦略の策定プロセスを提示してください。

1. 経営理念→経営環境の把握→事業領域の確立→事業の選択→事業（競争）戦略の確立
2. 経営理念→経営環境の把握→事業領域の確立→事業（競争）戦略の確立→事業の選択
3. 経営環境の把握→事業領域の確立→事業（競争）戦略の確立→事業の選択→経営理念
4. 経営理念→事業（競争）戦略の確立→経営環境の把握→事業領域の確立→事業の選択
5. 経営理念→事業領域の確立→事業（競争）戦略の確立→経営環境の把握→事業の選択

ANSWER & COMMENTARY

環境の把握とドメインの確立を経て事業を選択し、事業戦略を確立する

A 1

戦略策定のプロセスは、「検討に必要なデータを集める→方針を立てる→細かな方針と実行方法を考える」という流れで進みます。

この経営戦略策定の前提となるものに、**経営理念**があります。経営理念は企業経営を行っていくうえでの拠りどころとなり、活動の指針を与えるもの、つまり企業がどのように行動し、活動していったらよいかを示すものです。よって、経営戦略の上位概念として位置づけられます。また、経営戦略の策定は、以下のプロセスで行います。

①経営環境の把握…その企業が直面している外部環境の機会と脅威の分析と自社の内部環境の分析をＳＷＯＴ分析（第１章参照）を使用して明確化します。

②ドメイン（事業活動の範囲）の確立…経営理念と経営環境の分析の結果、事業活動の範囲を決定します。ドメインとは「生存領域」という意味の生物学用語ですが、企業経営で

経営理念と経営戦略策定プロセス
経営理念
経営理念
企業経営を行ううえでの活動の拠りどころ。経営戦略の前提となるもの
経営戦略
経営理念に基づいた企業活動の長期的方向づけ
経営戦略策定プロセス
フィードバック
経営理念
❶経営環境の把握
❷ドメインの確立
❸事業の選択（成長戦略）
❹事業戦略の確立（競争戦略）
実行・管理

用いるときは「事業領域」という意味になります。

③事業の選択（成長戦略）…市場の変化に適合し、今後どのような市場で成長していくべきかを製品―市場マトリックス（後述）などを使って選択します。

④事業戦略の確立（競争戦略）…事業が決定したら、次はその事業の帰属する市場において競合企業に対していかに差別的優位性を確保するかを検討します。

以上により、選択肢1がO社のケースにおいて最も適したプロセスといえます。そして戦略を実行し、その結果をフィードバックして、次の戦略の立案に反映させます。

2-2 事業ドメインの確立

Ｊファーストバーガーは、くつろぎの空間を提供することを目的とした、中堅規模で資金力も中規模程度の郊外型ハンバーガーチェーン（フランチャイザー）です。

半年前、日本最大のハンバーガーチェーンであるＭ社が、現在の商品価格を半額に値下げするゲリラ戦略を仕掛けてきました。その結果、マーケットシェアをＭ社に奪われ、二〇％から一五％に低下してしまいました。立地戦略としては、Ｍ社はオフィス街での展開をしています。一方、Ｊファーストバーガーは新興住宅地に展開しており、若い共働き夫婦（ＤＩＮＫＳ世帯も多い）の顧客を多くつかんでいます。

Q 窮地に立たされているＪファーストバーガーの環境分析から導き出される事業ドメインとして、適切と思われるものは次のうちどれでしょうか？

1．営業時間を延長したり、顧客サービスを徹底させたりするが、価格は下げない。

2社の比較

	Jファーストバーガー	M　社
業　種	ハンバーガーチェーン（フランチャイザー）	ハンバーガーチェーン（フランチャイザー）
店の規模	中規模	日本最大
資金力	中規模程度	日本最大
立地戦略	新興住宅地	オフィス街
顧　客（ターゲット）	若い共働き夫婦（DINKS世帯も多い）	ビジネスマン

2．既存の顧客がM社によって奪われているのだから、その分を取り返すために価格を同程度に下げる。

3．M社と同様に価格を下げて対抗する。現在の価格構成を変えて原価を下げるため、新規出店により規模の経済を追及し、仕入コストや流通コストの削減を実現させる。

4．持ち帰り用のハンバーガーなどの新製品を投入したり、子供用のおもちゃをおまけでつけるなどといった製品政策を徹底させる。それにより価値の低下を防ぎ、現在の価格を維持する。

5．マーケットにおける自社のポジショニングを高級型とする。最高級の食材を使用し、値上げする。

ANSWER & COMMENTARY

顧客グループ・顧客ニーズ・独自技術により事業活動の範囲を決定

A 1

ポイントは、「自社、競合、市場（顧客）」といった外部環境や内部環境により、Ｊファーストバーガーがどのような事業ドメインを採るべきかということです。前述のように、ドメインとは本来、生物学用語として使われており「生存領域」という意味を持ちますが、企業経営で使うときは「事業領域」という意味になります。つまり、企業の事業活動の範囲を決定することを意味するのです。事業ドメインを定義する軸は、次の三つです。

①顧客ターゲット（顧客は誰なのか）…ＤＩＮＫＳ世帯を多く含む若い共働き夫婦
②顧客ニーズ（顧客のどんなニーズに向けて提供するのか）…夜、仕事後のくつろぎ
③独自技術（どのような技術を使うのか）…閉店時間が遅い、顧客サービスの徹底

選択肢２については、Ｊ社が中堅規模で資金力も中規模程度であることから、マスをターゲットにしたコストリーダーシップ戦略をとったところで体力的にＭ社とは対抗できませ

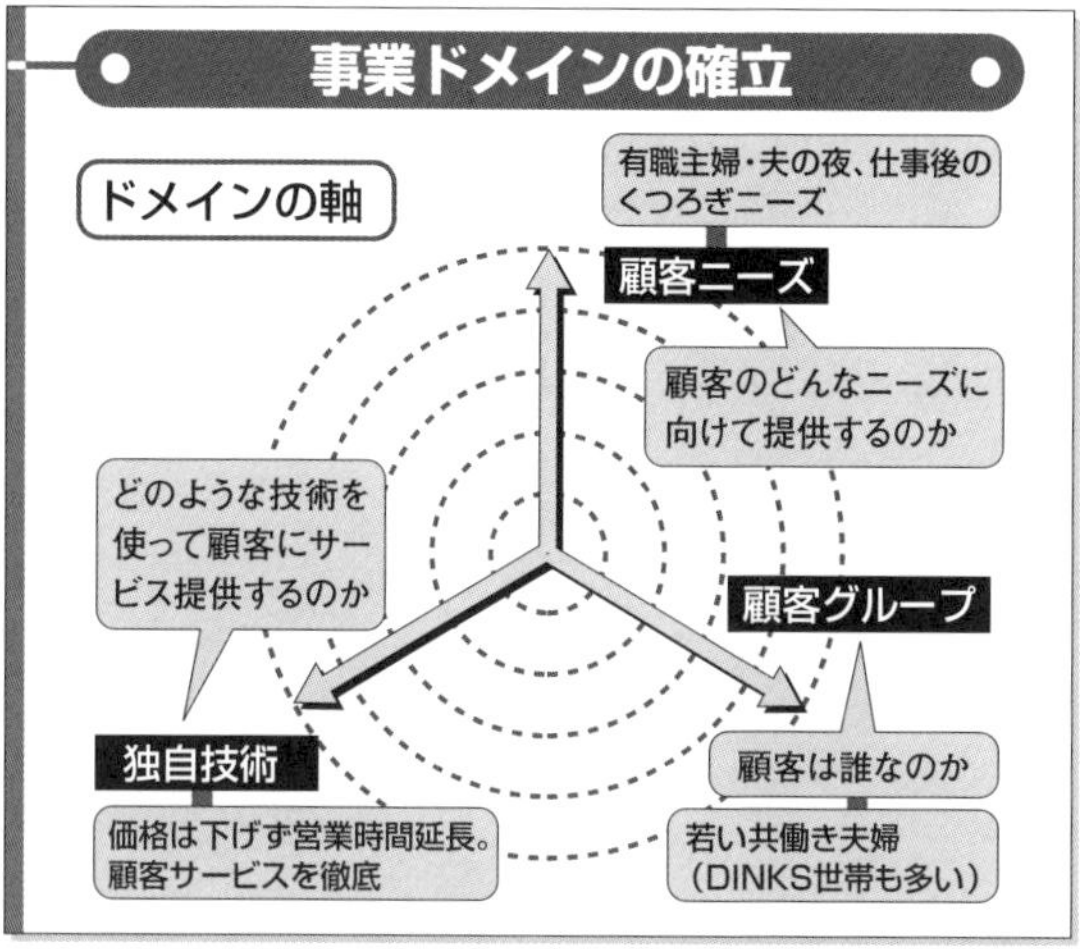
事業ドメインの確立
ドメインの軸
有職主婦・夫の夜、仕事後のくつろぎニーズ
顧客ニーズ
顧客のどんなニーズに向けて提供するのか
どのような技術を使って顧客にサービス提供するのか
顧客グループ
独自技術
顧客は誰なのか
価格は下げず営業時間延長。顧客サービスを徹底
若い共働き夫婦（DINKS世帯も多い）

ん。よって、選択すべきではありません。選択肢3も同様に、中規模企業がスケールメリットを享受することは難しいといえます。

選択肢4は、価格を下げないのは正しい戦略ですが、J社の顧客層に対するマーケティング戦略としては説得力が弱いといえます。子供がいない世帯におもちゃをおまけでつけても魅力はなく、仕事後のくつろぎを求める顧客に持ち帰りハンバーガーを提供したところで、くつろぎは提供できないといえます。

選択肢5は、J社の顧客層は共働きであるため、高級型のポジショニングは正しいといえます。ただ、価格を上げるための根拠がなければリスクの高い選択になってしまいます。

よって、選択肢1が適切といえます。

2-3 製品―市場マトリックス

あなたは、関東の某市を中心にドラッグストアを展開しているF社の経営陣の一人です。これまでF社は、都心のベッドタウンである近郊住宅街の駅前に立地するという戦略をとってきました。敷地面積は一〇〇㎡程度、駐車場の収容台数は五台程度と、駅の利用者をターゲットとして急成長し、現在では四〇店舗を展開しています。医薬品やティッシュペーパー、洗剤などの雑貨、そして学校指定の体操服や事務用品など、よろずや的な品ぞろえになっており、顧客も四〇～六〇代の主婦層が中心です。現在の駅利用者人口は、地下鉄が乗り入れたこともあって年々増加し、特に女性の社会進出の増加により、都心で働く若い（二〇～三〇代）女性の数が急増しています。また、五年ほど前から駅を中心として教育産業が発達し、私立高校や私立大学も創設され、学習塾も急増しています。

それにもかかわらずF社は、近年の景気の低迷や消費の伸び悩みなどにより、既存店の売上高が平均で前年度比一〇％程度ダウンしています。追い討ちをかけるように、郊外に面積約一〇〇〇㎡、駐車場収容台数一五〇台の複合型ドラッグストアMが出現しました。同社は四〇～六〇代の主婦層のニーズに合った品ぞろえの豊富さ、車での買い物における利便性のニーズを確実につかみ、F社の既存客を奪い始めています。

Q　F社は生き残りをかけて、企業が成長するような方向性を模索しなければなりません。あなたなら、次のうちどの戦略を選択するでしょうか？

1．クーポン券などを配布し、四〇～六〇代の主婦層にアピールして売上回復を狙う。
2．現在の品ぞろえのまま、ターゲットを学生や二〇～三〇代の女性に変更し、価格を下げて集客力を向上させる。
3．既存の四〇～六〇代の主婦層のニーズを満たすため、コンビニエンスストア的な品ぞろえをする。弁当や米なども取り扱う複合型店舗を目指して、M社から顧客を奪い返す。
4．化粧品やヘアケア商品を中心とした品ぞろえに切り替え、顧客ターゲットも学生や二〇～三〇代の女性に変更する。
5．主婦層に向けた生活に役立つオリジナル商品を開発・製造し、それを目玉商品として顧客獲得につなげる。

ANSWER & COMMENTARY

既存製品・事業に新規製品・事業の事象を加えることにより事業展開を検討

A 4

ドラッグストアF社の成長戦略を考えるには**「製品ー市場マトリックス」**というフレームワークを使って、今後の成長の方向性を模索します。「製品ー市場マトリックス」は、横軸に製品の既存と新規、縦軸に市場の既存と新規をとってマトリックスにしたもので、図のように四つの事象ができあがります。

ポイントは、四〇～六〇代の主婦層をターゲットにした、よろずや的な品ぞろえという特徴のないドラッグストアであるF社が、消費の低迷や競合の出現によって苦戦を強いられているという点にあります。そして既存のターゲットは、駅前のF社から、品ぞろえが豊富で車での買い物が便利な郊外型の大型店舗であるM社にスイッチしかけています。

ここで問題になるのは、ターゲットをこのまま四〇～六〇代の主婦層にしておいてよいのかということです。ここでのキーポイントは、次の二つに絞られるでしょう。

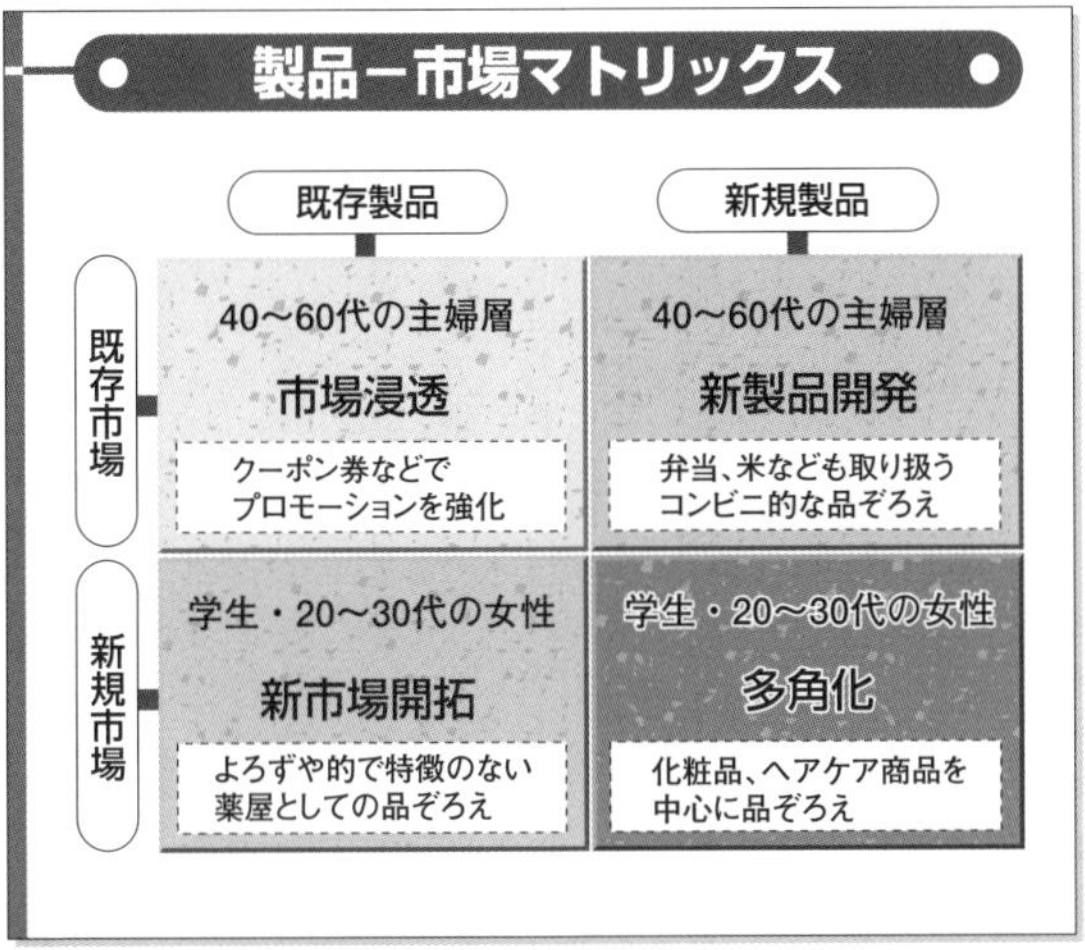

①駅利用者人口の増加（特に都心で働く二〇～三〇代の女性の数が急増）

②駅を中心に教育産業が発達し、私立高校や私立大学も創設されて学習塾も急増

これらに加え、現在の主要顧客である四〇～六〇代の主婦層のニーズは、品ぞろえの豊富さや車での買い物における利便性であることは明らかです。よって、ターゲットを二〇～三〇代の女性と学生に変更したほうが妥当であることがわかります。また、新たなターゲットのニーズを満たすためには、よろずや的な品ぞろえも変更しなければなりません。

よって、製品と市場の両方で新規領域を目指す「新規市場－新規製品（商品）」である選択肢4が最も適切な選択といえます。

2-4 プロダクト・ポートフォリオ・マネジメント（PPM）

あなたは、事務用オフィス家具メーカーA社の経営企画室長です。A社は今年で設立六五周年を迎えますが、業績は大変好調です。主力部門であるスチールオフィス家具は、マーケット自体の成長率は低い、いわば成熟市場ですが、その中でA社は国内シェアの五〇％を占めており、競合他社に比べて圧倒的なシェアを誇っています。

A社には、主力事業であるスチールオフィス家具事業のほかに、建築資材事業や情報システム機器事業、環境対応家具事業があります。

建築資材事業は、他社との相対的マーケットシェアは低く、市場が成熟しています。また情報システム機器事業は、他社との相対的マーケットシェアが高く有望な事業ですが、市場の成長率は高く、市場規模の拡大に伴うマーケットシェアの維持および獲得に多額の資金を投入しています。そして環境対応家具事業に関しては、他社との相対的マーケットシェアは低いものの、市場は急成長しています。

Q　あなたは、A社の将来を見据えた経営戦略として、事業をどのように組み合わせるべきと考えるでしょうか？

1. 環境対応家具事業が有望市場であるため、スチールオフィス家具事業から得たキャッシュを環境対応家具事業に投入する。
2. 将来的に有望な事業をA社は持ち合わせていないため、新たに新規事業を創出する。
3. スチールオフィス家具事業からの収益により全社的な業績が好調なため、そこで得たキャッシュをさらにつぎ込むことによってスチールオフィス家具事業を拡大して、収益を最大化する。
4. 低迷している建築資材事業の巻き返しを図る。そのため、スチールオフィス家具事業から得たキャッシュを建築資材事業に投入する。
5. 情報システム機器事業に対してさらなる資金を投入し、シェアの維持を確実にする。

ANSWER & COMMENTARY

定石は、金のなる木で創出したキャッシュを問題児に回すこと

A 1

規模の大きな企業であっても、自社の経営資源は限られているため、複数の事業を最適に組み合わせて（事業ミックス）経営資源を有効に配分する必要があります。この事業の組み合わせを最適化させるための考え方が**プロダクト・ポートフォリオ・マネジメント**（PPM）です。PPMについては第1章でも述べましたが、再度説明しましょう。

PPMによる事業ミックスは、①市場成長率は低くてもシェアは高い「金のなる木」で得たキャッシュを、②市場成長率は高くてもシェアは低い「問題児」への投資に充てることで、その問題児を③市場成長率もシェアも高い「花形」製品に育て、それに積極的な投資を行ってシェアを高めることにより、将来的に成長率が鈍化・低下しても高いシェアを維持することのできる「金のなる木」にするという循環を継続的に行うのが理想となります。

A社のケースは、この理想的な事業ミックスを想定しています。A社の四つの事業をP

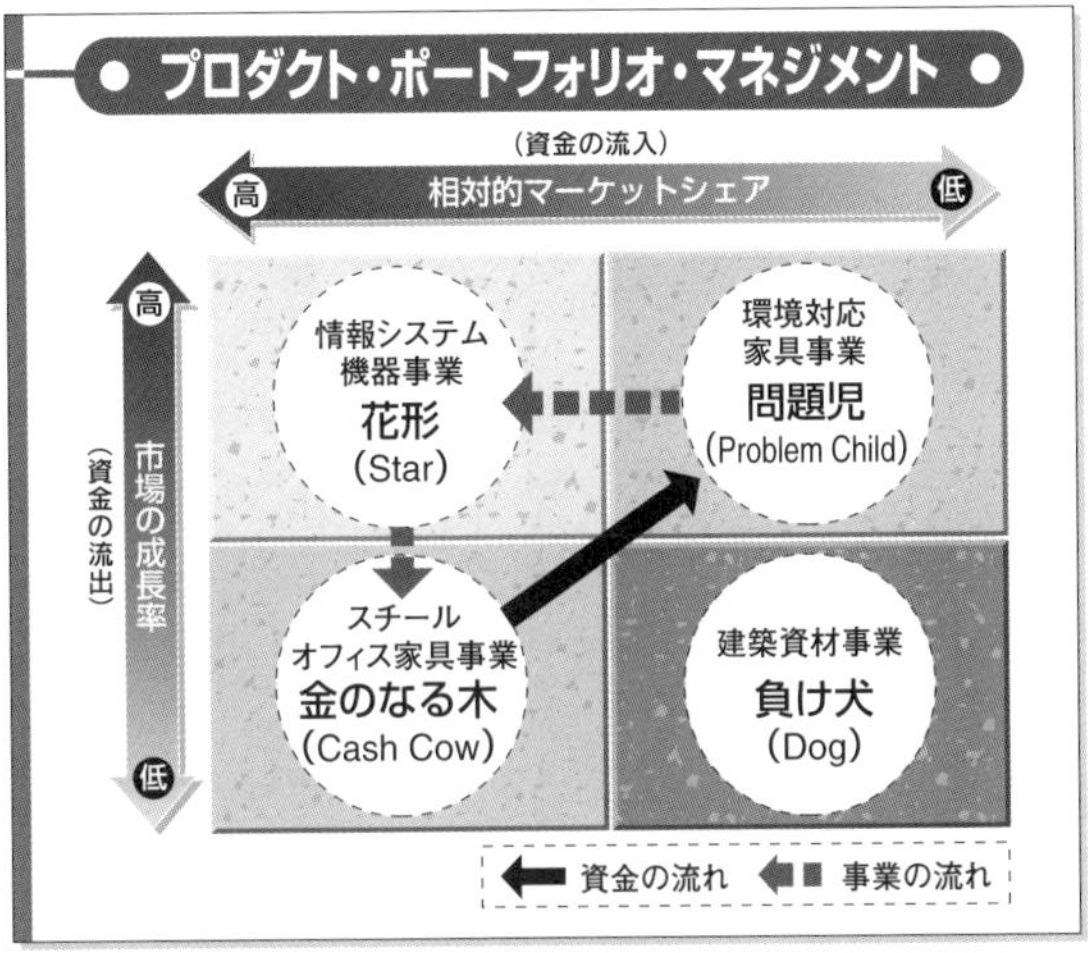

PMの四つの事象にあてはめると、スチールオフィス家具事業＝金のなる木、建築資材事業＝負け犬、情報システム機器事業＝花形製品、環境対応家具事業＝問題児であるといえます。

よって、事業ミックスとして理想的な形は、スチールオフィス家具事業で得たキャッシュを、問題児である環境対応家具事業に投入するということになり、選択肢1が適切な戦略といえます。

ただ実際には、市場シェアと市場成長率がともに低い事業であっても、多面的に考えて、社会貢献やブランディングといった観点から、撤退せずに継続するという判断が下される場合もあります。

2-5 ファイブフォース分析

C社は、関西地区を中心に食品卸売業を展開している中規模企業です。

近年、消費の低迷によってC社の売上先である食品小売業の不振が目立ち、その影響を受けて同社の業績も五期連続で落ち込むなど厳しい状況にあります。

消費低迷以外の業績低迷の大きな原因としては、競争の激化が考えられます。競合の食品卸売業者は、業界内のシェア争いのために利益率を下げて、販売価格を抑えるという戦略で売上を維持しています。

さらに小売店サイドからは、ローコストオペレーションを実現するために、厳しい取引条件を提示されています。具体的には、取引先を集約化して商品搬入時の作業を大幅に軽減させようとしたり、情報化などの設備投資の要求や価格面での値引き、一括納品、メーカーとの直接取引を行おうとしたりといった動きが小売店に見られるのです。C社の顧客は大手小売店と中小小売店の両方ですが、特に大手小売店は、そのバイイングパワーを武器に、一層の値引きや商品フルライン納品、さらには物流センター手数料の負担などを要求してきています。

Q　このような状況下で、C社は今後どのようなドメイン（事業領域）で展開すべきでしょうか？

1．量販店を販売先の中心に据え、フルラインでの商品を供給できる体制を整える。
2．中小小売店を販売先の中心に据え、品ぞろえ機能や物流機能、情報提供機能という総合的なサービスで中小小売店を支援する。
3．量販店を顧客の中心に据え、物流合理化を支援する物流機能に特化した戦略を採用する。
4．中小小売店を顧客の中心に置き、品ぞろえ機能に特化して、現金持ち帰り問屋的な限定サービス型戦略を採用する。
5．買収により勢力を拡大し、ナショナルチェーンを目指す。

「競争の五つの力」を検討することで業界の魅力度と競争状況を確認

ANSWER & COMMENTARY

A 2

C社のような食品卸売業の競合状況を、**ファイブフォース分析（競争の五つの力）**のフレームワークにあてはめてみましょう。一般的な競合環境は次のとおりです。

業界内の既存の競合…競争が激化し、売上高を維持するため単価の下落が始まっている

新規参入の脅威…大規模卸売業の合併による地方進出、異業種からの参入

代替品の脅威…従来の卸売業の物流機能に代わり、運送業などの第三者が台頭

売り手の交渉力…メーカーのリベートの廃止や取引先の集約化など

買い手の交渉力…取引先の集約化、情報化といった設備投資の要求、価格面での値引きなど

C社の例では、業界内の既存の競合と買い手の交渉力について記述されています。これに基づいて戦略を検討するために、市場における自社の位置づけをマップ（ポジショニングマップ）で考えてみましょう。まず、顧客軸として「量販店－中小店」という軸を考え

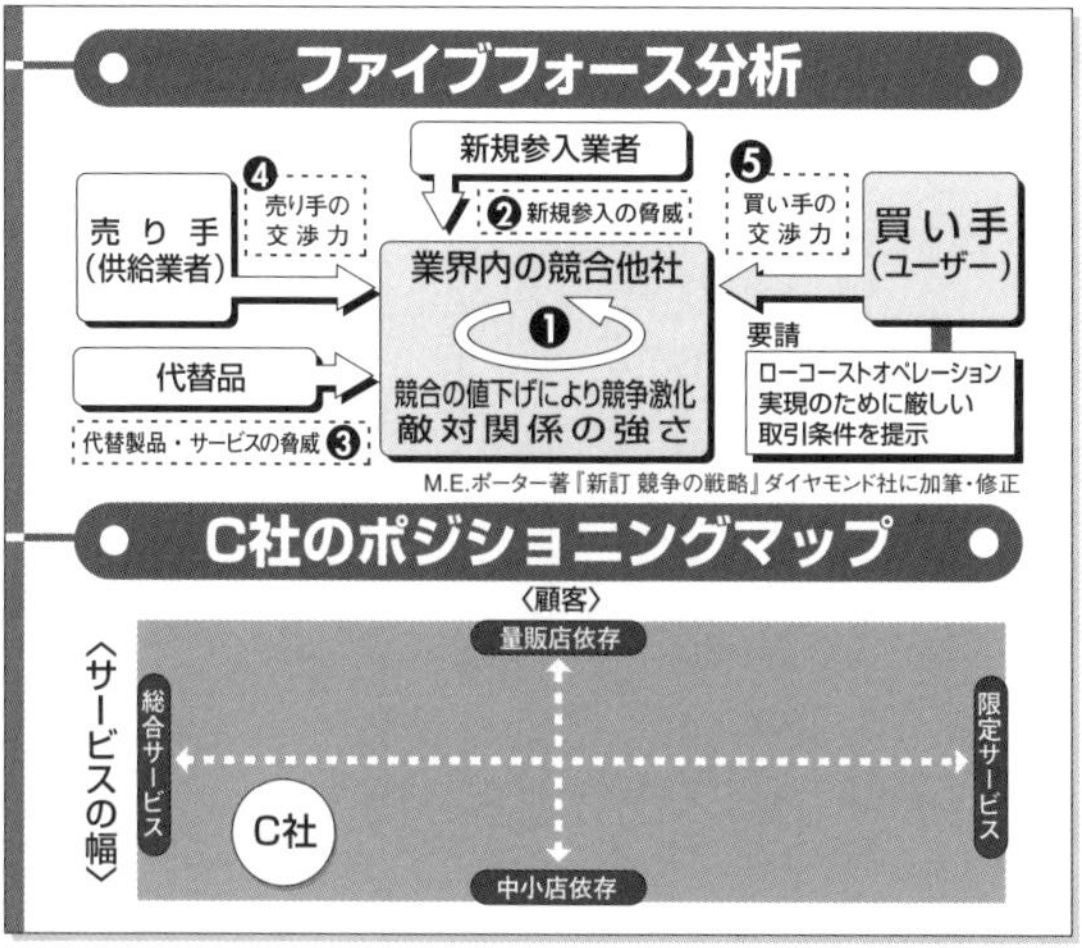

M.E.ポーター著『新訂 競争の戦略』ダイヤモンド社に加筆・修正

ます。そしてもう一つは「総合サービス－限定サービス」というものが考えられます。卸売業のサービス機能には、品ぞろえ機能や物流機能、小売店支援のための情報提供事業があり、これをフルで提供するのが総合サービスです。一方、サービスを限定して提供するのが限定サービスです。

中規模であるC社が、大手の一層の値下げや商品フルライン納品の要請に対応できるとは考えにくく、顧客の軸は中小小売店を中心に展開すべきであるといえます。さらに中小店の売上不振を考えた場合、小売店支援のための情報提供機能も包含した形で総合的なサービスを展開するのが妥当であると考えられます。よって、選択肢2が適切といえます。

2-6 ポーターの三つの基本戦略

V社はハムの製造メーカーで、国内シェア第一位を誇っています。規模的にも大きく資金力も莫大です。そのうえ業暦が長く、今年設立一〇〇周年を迎え、ハム製造業界の中では老舗といわれる存在です。

ところが現在では、確固とした戦略がないため業績が低迷しつつあります。最大の原因は、国内シェア第二位のW社がドイツの大手ハム製造会社のX社と技術提携を結び、高級ハム「匠」を市場に投入したことにあります。「匠」は、X社の特許技術を活用した独自の製法で製造され、かつ素材も「東京エックス」という最高級の豚肉を使用しています。価格が高いにもかかわらず好調な売れ行きを示しており、W社はV社とのマーケットシェアの開きを徐々に狭めつつあります。

Q **今後のV社の競争戦略として採用すべき戦略は、次のうちどれでしょうか？**

1．ドイツにおけるハム製造最大手であるZ社と技術提携契約を結び、W社の製品「匠」に対抗するべく、さらなる品質・味にこだわった新製品を投入するという差別化戦略を採用する。
2．W社の製品「匠」に対抗するのはリスクが高いため、対象ターゲットを特定市場に絞り込む。地方市場に特化し、地方の厳選食材を使用した地方限定ハムを製造・販売するという集中戦略を採用する
3．スケールメリットと長年の経験を生かし、低コストの実現を図る戦略を採用。コストのうえで他社が追随できないよう徹底的なコスト管理を行う。
4．消費が低迷している中、急いで戦略を変更することはリスクを伴う。そのため、景気が回復するまでしばらく様子を見る。
5．製造は他社に外注し、商品の企画・開発に経営資源を集中するという戦略を採用する。

ANSWER & COMMENTARY

すべての戦略をとることは何もしないことと同じ

A 3

ポイントは、二つあります。第一のポイントは、V社がハム市場における国内シェア第一位の企業であり、規模的にも大きく、資金力も莫大であること、そして第二は、設立一〇〇周年と業暦が長い、つまりハム製造の経験が長いことです。この二つのキーワードは、規模の経済と経験曲線効果を活かせることを示唆しています。

V社がとり得る戦略としては、まずスケールメリットを追求して買い手の交渉力を高め、原材料を安く調達したり、単位あたりの物流コストを抑えたりすることができると考えられます。さらに、経験曲線効果によりハム製造に関するベストプラクティスを熟知している点も強みです。それにより、たとえば生産・技術における技術改良や、従業員が反復によって作業を効率的に行えるようになる学習効果、作業プロセスの改善などを行える可能性があります。よってこの事例では、図表のような**ポーターの三つの基本戦略**のうちの**コ**

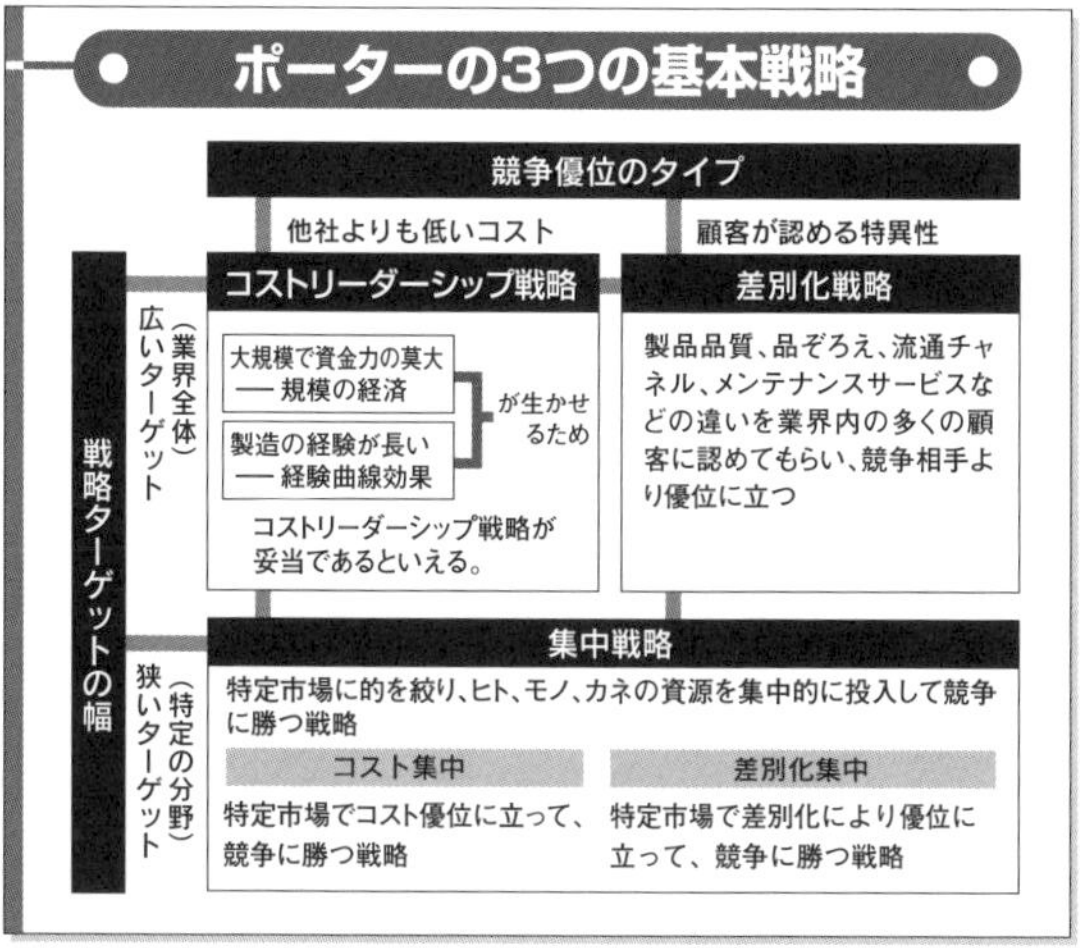
ポーターの3つの基本戦略
競争優位のタイプ
他社よりも低いコスト
顧客が認める特異性
戦略ターゲットの幅
広いターゲット（業界全体）
狭いターゲット（特定の分野）
コストリーダーシップ戦略
大規模で資金力の莫大 ── 規模の経済
製造の経験が長い ── 経験曲線効果
が生かせるため
コストリーダーシップ戦略が妥当であるといえる。
差別化戦略
製品品質、品ぞろえ、流通チャネル、メンテナンスサービスなどの違いを業界内の多くの顧客に認めてもらい、競争相手より優位に立つ
集中戦略
特定市場に的を絞り、ヒト、モノ、カネの資源を集中的に投入して競争に勝つ戦略
コスト集中
特定市場でコスト優位に立って、競争に勝つ戦略
差別化集中
特定市場で差別化により優位に立って、競争に勝つ戦略

ストリーダーシップを採用するのが妥当であることがわかります。

選択肢1は間違いではありませんが、前記の二つの条件を考慮に入れると、やや根拠が弱いと考えられます。選択肢2については、V社が規模も大きく市場でのリーダーであるため、特定の小さなマーケットに資源を集中する戦略はとりにくいと考えられます。また選択肢4については、業績が低迷しつつあり、W社にマーケットシェアを奪われつつあるV社にとっては戦略の見直しが緊急の課題であることから、妥当でないことがわかります。そして選択肢5は、V社の状況を考えると、製造部門を外部委託して商品の企画・開発に集中することは根拠性に乏しいと解されます。

2-7 価値連鎖（バリューチェーン）

A社は、医療用の検定・測定機器を製造しているメーカーです。

検定・測定機器は製品の性質上、取り扱いや品質の均一化が非常に難しい商品であるといえます。品質検査に関しては業界各社とも万全を期しており、何本かに一本を無作為に抽出しては品質テストを繰り返し、品質の維持に努めています。また、計器という製品特性から、製品の仕上げ段階では機械に頼らず、一つひとつにおいて熟練工による微調整が必要となります。ただ、熟練工を育てるには通常二〇年を要すること、また高度情報化社会となって、いわゆる3Kを嫌う若い世代には熟練工を志望するものが年々少なくなっていることが業界的な問題です。

A社は、設立七〇年を迎える老舗企業で、昔から手作業により医療用検定機器を製造しています。他社がオートメーションによる効率化を追求する中、熟練工の活用を重視し、また人事制度も熟練工のために専門職制度を設け、若手熟練工の育成に力を注いでいます。

ちなみにA社は、医療産業が発達し、同業種の競合と提携業者が多く集積しているB工業団地内に位置しており、物流上非常に便利なためコストが安く済んでいます。

Q　A社の競争戦略上、どのように他社との競争優位性を見出したらよいでしょうか？

1. 物流活動においてコストを削減できるという点が優位性の源泉である。
2. 熟練工活用による低コストの実現化が優位性の源泉である。
3. 業暦七〇年という経験から、経験曲線効果を活かした低コスト実現が優位性の源泉である。
4. 熟練工活用による高品質の維持が優位性の源泉である。
5. 業暦七〇年で蓄積された研究開発力と熟練工を高く評価する人事制度という支援活動が、優位性の源泉である。

バリューチェーンを考えることで競争優位性の源泉を確認①

ANSWER & COMMENTARY

A 4

まず、価格連鎖の概念について述べましょう。

【価値連鎖】

製品が最終消費者に届くまでの付加価値の連鎖のことをいいます。このフレームワークを使うことによって、購買からサービスまでの一連の活動において、他社と優劣の出ている箇所とその原因が解明できるようになります。

【価値連鎖の九つの価値創造活動】

価値連鎖モデルは、競争優位を生み出す源泉がどのような構造になっているかを示せるように、活動を九つの価値創造活動に分割して表したものです。この九つの価値創造活動は、図のように五つの主要活動（①購買物流、②製造、③出荷物流、④販売とマーケティ

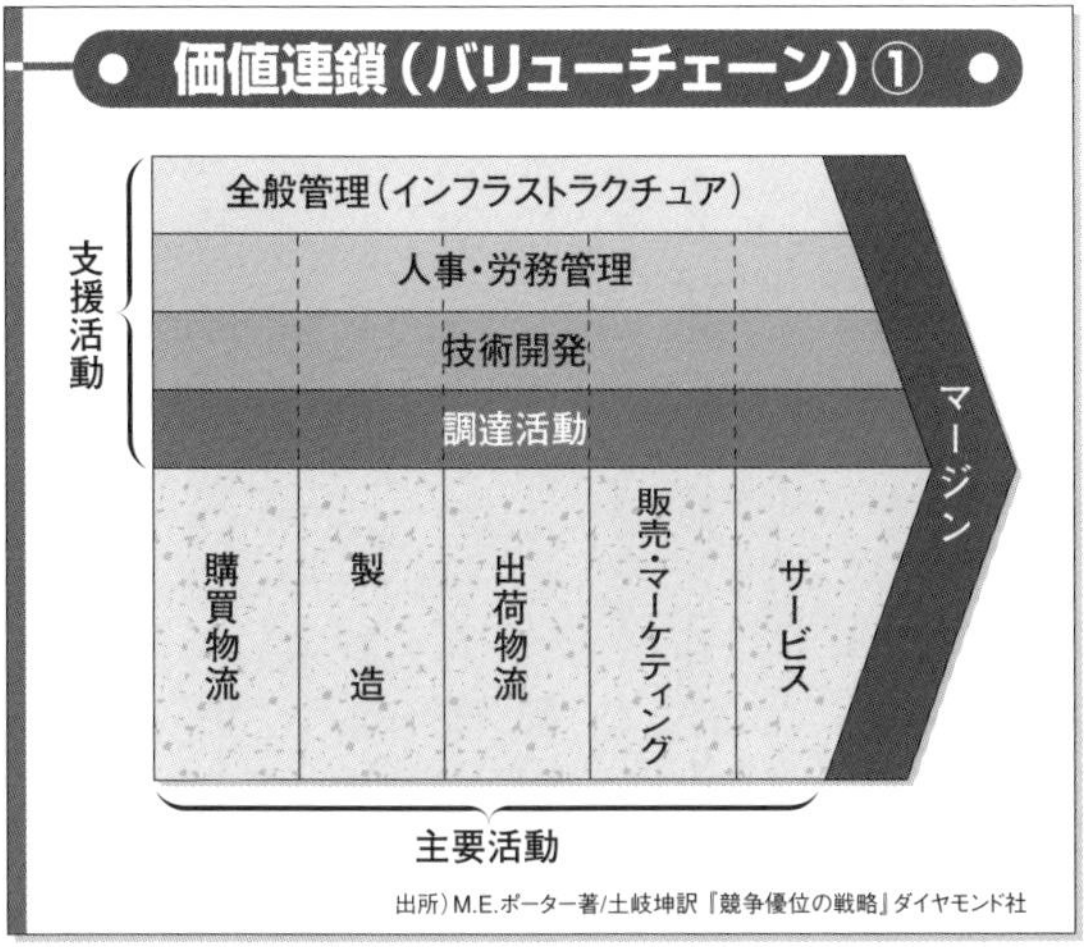

出所）M.E.ポーター著/土岐坤訳『競争優位の戦略』ダイヤモンド社

ング、⑤サービス）と、四つの支援活動（①調達活動、②技術開発、③人事・労務管理、④全般管理＝インフラ）に分けられます。

企業は、それぞれの価値創造活動についてコストとその成果を精査し、競合企業との比較において、改善点を探索しなければなりません。そして常に革新に取り組み、少しでも他社との競争優位性を保てるよう差別性を創り出していく必要があります。

また、このフレームワークは、新規事業を開発したり協力企業とのアライアンスを構築したりする際にも重要な情報を与えてくれることになります。さらには、IT（情報技術）を活用して価値連鎖全体の革新をもたらすサプライチェーン・マネジメントも重要な概念です。

ANSWER & COMMENTARY

バリューチェーンを考えることで競争優位性の源泉を確認②

A社の競争優位性について、ポーターの**バリューチェーン（価値連鎖）**のフレームワークを用い、どの活動において競争上の優位性が構築できるかを考えてみましょう。バリューチェーンについては前ページを参照してください。

A社のポイントは、二点あります。一点目は、検定・測定機器というものが品質の均一化が非常に難しい商品であり、製品の仕上げ段階では機械に頼らず、一つひとつの製品に関して熟練工の微調整が必要となることです。もう一点は、熟練工を育てるには通常二〇年を要するため、競合他社は効率化のため機械に頼っていますが、A社は熟練工の活用を重視していることです。人事制度も熟練工のために専門職制度を設け、若手熟練工の育成に力を注いでいます。

これら二つのキーポイントから導かれるのは、A社は「製造活動における高品質の維持」という製品差別化としての優位性の構築を武器にすべきだということです。この部分がさらに強化できるならば、非常に高い参入障壁を築くことができ、A社の収益力はもっと向

上するでしょう。

個別に選択肢を見ていくと、選択肢1と2および3は、低コストの実現という箇所がポイントとずれています。また選択肢5については、熟練工を高く評価する人事制度という支援活動は優位性の源泉であるといえます。購買物流、製造、出荷物流、販売とマーケティング、サービスという主要活動だけが必ずしも優位性の源泉となる活動というわけではなく、調達活動や技術開発、人事・労務管理、全般管理（インフラ）という四つの支援活動も優位性の源泉となる活動になり得るからです。しかし、A社の研究開発力に関しては事例でまったく触れていないため根拠としては乏しく、妥当ではないことがわかるでしょう。

2-8 戦略的ポジショニング

S社は、東京の都心部T地区で旅館を営んでいます。収容客数は三〇〇名と比較的大きな観光旅館で、修学旅行の学生を主要なターゲットとして業績を伸ばしてきました。

しかし、都会には旅館のスタイルがマッチせず、また修学旅行というターゲットでは、時期的に気候が穏やかな春先と秋口に需要が集中するため、繁盛期と閑散期の差が激しく、収益が安定しません。

また、S社は宿泊、入浴、料理をセットとする画一的で標準的なサービスを行う従来型の典型的な観光旅館です。仲居さんが配膳や布団の上げ下ろし、室内のお茶出しなどを行うため、労働集約度が高い割には生産性が非常に低く、それによる低収益性がS社の経営を圧迫していることが判明しています。

T地区における競合としては、世界的にブランド力のあるRホテルとFホテルが究極のコンシェルジェサービスを武器に、顧客に行き届いたサービスを実施しています。またT

地区は、東京の中でも大規模都市開発が進められているところです。企業の誘致に成功しており、すでに大手広告代理店や民放テレビ局などの自社高層ビル建設が進められています。また国際展示場にも近く、ビジネスで当該地域を利用する人口が急増することが見込まれています。

Q　S社の競争上のポジショニングとして適当なのは、次のうちどれでしょうか？

1. 高価格型でカスタマイズされたサービスを、ビジネス顧客に対して提供する
2. 低価格型でカスタマイズされたサービスを、観光客に対して提供する
3. 仲居さんを再教育し、カスタマイズされたサービスを旅館型で提供する
4. 低価格型で宿泊とコンベンションサービスを、ルールに基づく標準化されたサービスとしてビジネス顧客に提供する
5. 観光客を対象に、標準化されたサービスとして宿泊サービスを提供する

市場での位置づけを明確化し、自社の強みが発揮できて競争の激しくない部分へ特化

ANSWER & COMMENTARY

A 4

S社の例をポジショニングマップにあてはめて、差別化のポイントを検討しましょう。ここでは、さまざまな軸が考えられます。たとえば顧客（ビジネス客－観光客）、顧客対応度（標準サービス－カスタマイズサービス）、価格帯（高価格－低価格）、サービスの付加価値度（高付加価値－低付加価値）、生産性の高さ（高生産性－低生産性）などです。また一般的に、「顧客のニーズ」という軸も重要です。ただ、軸設定の際には二つの軸の独立性が高い組み合わせを選ぶことが重要です。たとえば、「価格帯」と「サービスの付加価値度」という二つの軸は相関性が高いため、市場でのポジションが明確に描けなくなってしまいます。

S社のケースにおけるポイントは、①修学旅行客では繁盛期と閑散期の差が激しく収益が安定しない、②仲居さんによるサービスは労働集約度が高い割に生産性が非常に低く、収益を圧迫している、③T地区における競合としては、世界的にブランド力のあるRホテ

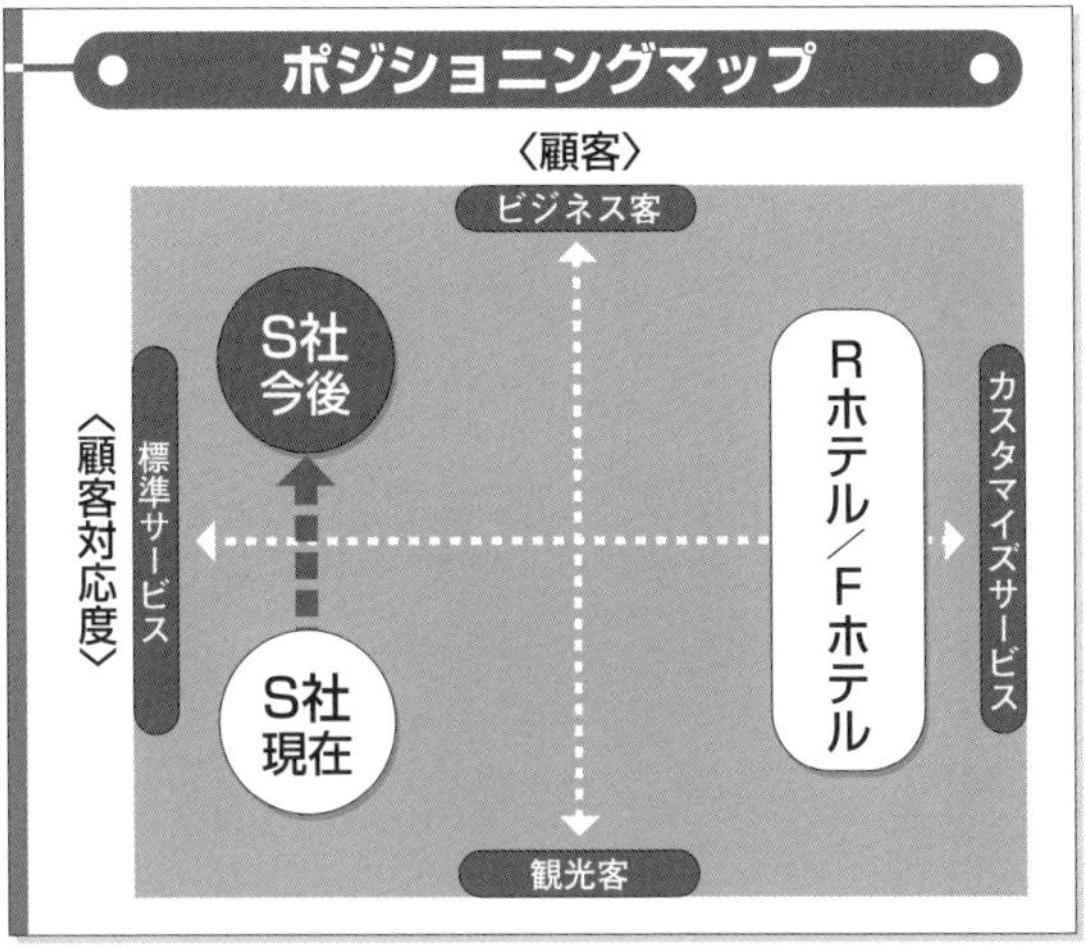

ルとFホテルが究極のコンシェルジェサービスを武器にカスタマイズ型サービスを実施している、④地区の大規模都市開発で企業の誘致に成功し、国際展示場にも近く、ビジネスで当該地域を利用する人口が急増することが見込まれている、といった点です。

これらの外部環境を考慮に入れてポジショニングマップをつくると、「顧客（ビジネス客－観光客）」と「顧客対応度（標準サービス－カスタマイズサービス）」という二軸を設定して、ビジネス顧客を対象にした標準サービス（RホテルとFホテルとの競争回避）を提供するのが妥当であると考えられます。

よって、選択肢4がS社にとって最も適したポジショニングといえます。

第3章

ヒューマンリソース

3-1 モチベーション

あなたはＩＴ企業のＳ社に勤める三五歳のＳＥ（システムエンジニア）です。Ｓ社は、業界でも比較的給与レベルが高く、会社のブランドも確立されています。あなたは、部下が優れたコンピュータシステムを構築することができると常に感じており、実際に相応の技術力を持っていることを認めています。そして、今までよりも使い勝手のよい高度なシステムを開発することによって、部下が精神的に満足感を得られ、それが顧客に満足を提供することもわかっています。つまり、多くの技術者は生涯、システム開発をより深く掘り下げるスペシャリストを目指しているということを知っています。

ところが、Ｓ社は開発部隊の大幅なリストラを実施せざるを得なくなりました。そして現在のあなたは、システムの開発ではなく、最近特にニーズが顕在化しつつあるＥＲＰパッケージ（Enterprise Resource Planning＝企業資源管理を実現するためのカスタマイズされた統合業務パッケージ）の導入コンサルティングに毎日勤しまざるを得ない状況です。

Q　このとき、あなたにできることは次の五つのうちどれでしょうか？

1．会社は組織で動いているため、すべての者が自分のやりたいことに従事できるとは限らない。ＥＲＰの担当になることに合意しなければリストラの可能性もあることを示唆することで、部下のＥＲＰへの異動に対する動機づけをさせる。

2．システム開発よりも成長性のあるＥＲＰコンサルティングの魅力を訴え、部下のキャリアのゴールをＥＲＰコンサルタントへ変えるよう努力する。

3．システム開発とＥＲＰコンサルのつながりを説明し、実力を認めたうえで将来システム開発に活かせるよう、次のキャリアプランについての説明を行い、部下の理解を促す。

4．ＥＲＰパッケージのコンサルティングを担当させる。その代わりに、部下の自己実現に向けた業務経験が積めない分、報酬の二〇％増額を提案することでスムーズな配置転換を行う。

5．技術を要するシステム開発をないがしろにし、安易に売上が出せるＥＲＰコンサルティングへ傾倒している会社の方針に対する部下の批判に同意する。そしてできる限り早いタイミングで次の配置換えを行い、システム開発部門に戻れるよう社内に働きかける。

現状からの報酬アップや安易な人事異動の期待は継続的なモチベーションにはならず①

ANSWER & COMMENTARY

A 3

組織の成果を上げるためには、個人の**モチベーション（動機づけ）**を持続させる必要があります。モチベーションは、個々の置かれた環境によってその性質と要因が異なりますが、もともと人間が持ち合わせている欲求や個々が持つ動機づけを、会社（または組織の各構成メンバー）が間接的に促すことができます。

ここでは、代表的なモチベーション理論と照らし合わせて考えます。

選択肢1は、異動を拒否すればリストラ対象となるという通告です。部下にとってみれば、マズローの欲求階層説（人間の欲求には階層があり、下から生理的欲求→安全欲求→社会的欲求→尊厳欲求→自己実現欲求という位置づけになっているという説）でいう「安全欲求」を満たすことができないという見込みがある以上、より高い次元の欲求である「自己実現欲求」よりも優先させる必要がある、となって認めざるを得ない可能性があります。

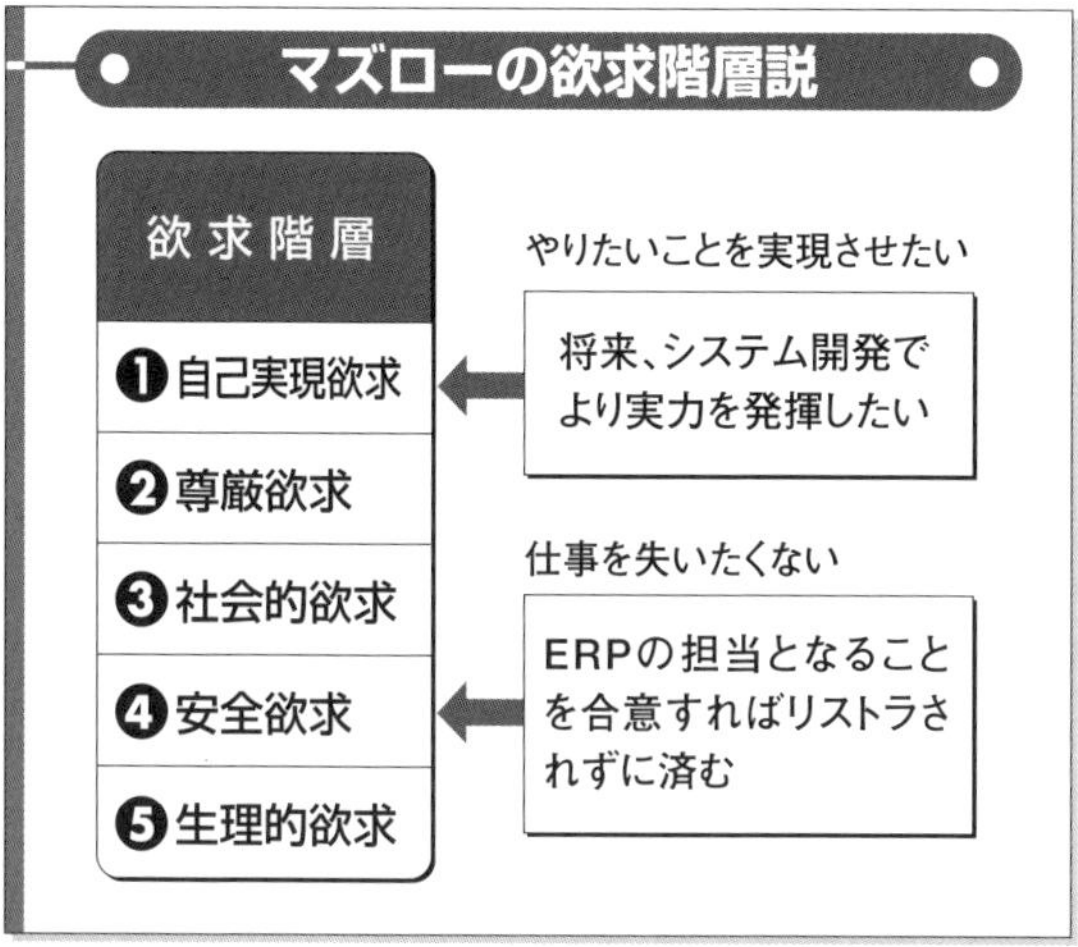
マズローの欲求階層説
欲求階層
❶自己実現欲求
❷尊厳欲求
❸社会的欲求
❹安全欲求
❺生理的欲求
やりたいことを実現させたい
将来、システム開発でより実力を発揮したい
仕事を失いたくない
ERPの担当となることを合意すればリストラされずに済む

組織で動いている以上、独りよがりの理想や希望がすべて通るわけではないことは周知の事実です。しかし、一言めから機械的に「リストラされるか、残るか」といった選択肢しか提示しないのでは、たとえ合意をしたとしても、仕事に対するモチベーションが従来よりも低くなります。そして生産性の低下や、能力が高く市場価値のある人材の社外流出などの可能性もあります。どれほど単純でつながりの見えにくい仕事でも、他の仕事との関連性や重要性があります。また、将来個々が目指したいキャリアゴールに向けての重要なステップの一つでもあります。それらをしっかりと部下に説明して理解させることで、組織全体の士気を高めていく必要があるのです。

現状からの報酬アップや安易な人事異動の期待は継続的なモチベーションにはならず②

選択肢2は、ＥＲＰの重要性や魅力を訴え、部下のモチベーションを変えさせることを意味します。リーダーの役割として、部下のキャリアゴールの矛先を現在のシステム開発からパッケージ商品の導入がメイン業務であるＥＲＰ販売に変えることができればベストといえます。

しかし現実的には、業務の本質が異なる以上、選択肢3のように、長いキャリアパスの中で部下の実力をまずは認めた（尊厳欲求）うえで、システム開発とＥＲＰコンサルティング業務のつながりを認識させるほうがよりよいといえます。たとえば、カスタマイズの柔軟性の乏しいＥＲＰの導入によるクライアント側の不具合や、逆に効率的な部分などを吸収し、将来的にそれらを含むシステム開発に活かせるよう納得させることができるのです。そのうえで、今回の異動は長いキャリアの中での最終地点ではなく、あくまで一ステップであることを十分理解させて、プラスの動機づけをすることが最も有効と思われます。

選択肢4の、報酬を上げるという方法も万能ではないことは、ハーツバーグの動機づけ・

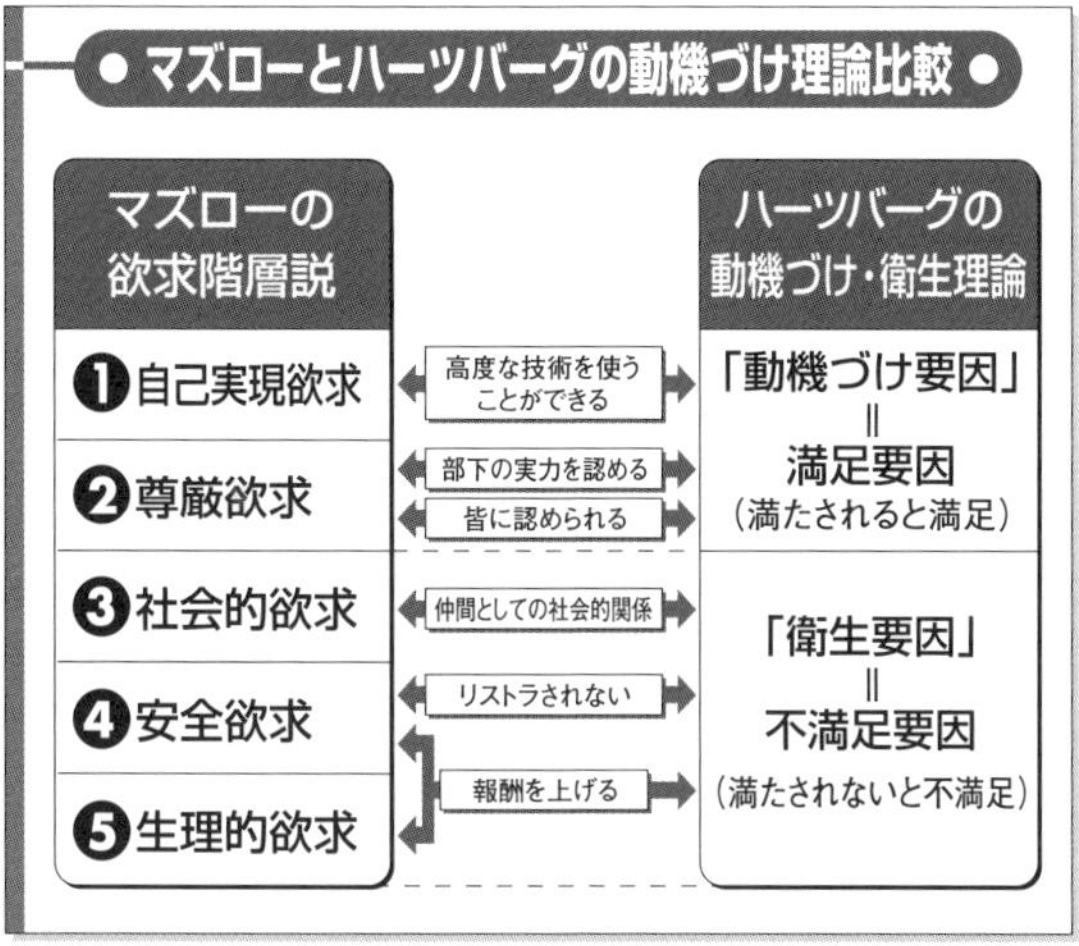

衛生理論と併せて考えればわかります（図表参照）。もちろん、金銭的欲求が満たされなければ不満を覚えるでしょう。しかし実際には、現時点での報酬レベルは業界内での平均以上であるうえに、現在の動機づけ要因は報酬ではなく高度なシステム開発技術とノウハウを使うことから得られる満足（自己実現欲求）と、その開発を通した顧客満足（尊厳欲求）です。

そして、選択肢5の場合、「同じ価値観を共有する」という観点からは、仲間としての社会的関係が動機に結びつくこともあります。しかし、次回の異動でシステム開発に戻れる確信と可能性がない限り、かえって部下の信頼を失い、結果的にモチベーションを下げることになりかねません。

3-2 インセンティブ

あなたはE石油会社で人事部に所属しています。

最近、E石油会社では、約八〇人を擁する営業部の離職率が非常に高いことが問題となっています。ちなみに営業部は、全国の石油サービスステーション（SS）に営業をかけて新規の顧客獲得を目指す営業1課と、既存のSSに対するルートセールスを行う営業2課に分かれています。

人事評価は勤務態度と仕事のプロセスの評価から導き出されるようになっていますが、そのほかに、よりモチベーションを高めるためのインセンティブとして特別報酬制度が設けられています。この制度の評価基準は通常とは異なり、営業部共通の売上成績ランキングで上位二位以上を三カ月以上獲得した人のみに適用されます。特別報酬は非常に高額ですが、必ずしも社内の意気が向上しているとはいいません。

なお、営業部社員における三年以内の離職率は六〇％に上っています。

Q 人事部のあなたはどのようなことを提案しますか？

1．ルートセールスと新規営業の報酬制度を分ける。
2．モチベーションは達成可能性と、それから得られる満足度のバランスによって決まる。現状では達成可能性が小さいため、営業マンのやる気が起きない。逆に特別報酬を増額することで、やる気を喚起させる。
3．現状では特別報酬基準を達成する人がほとんどいないため、制度自体が形骸化していると思われる。まずは達成基準を下げて実現可能性のあるものにし、改めて営業部全員横一線で同じ目標に対して頑張れるよう再設定する。
4．社員に尊敬される「カリスマ営業マン」を輩出するため、意図的に多くの成功事例をつくる。
5．特別報酬制度は営業部内で競争を起こすなどの弊害があるため、早くなくす必要があると提案する。

ANSWER & COMMENTARY

インセンティブは職務の内容・目的により変える必要あり①

A 1

インセンティブとは、人に特定の行動を促す動機づけ機能、つまり「やる気を起こさせる刺激」のことです。個人が持っている欲求に対する刺激が、組織の目標や目的に向かって行動を起こさせる源になっているといえるでしょう。

モチベーションの項で見たように、人はさまざまな欲求を持っています。そのため、インセンティブにもさまざまな種類があります。まず、代表的なものとしては金銭的報酬などの〝**物質的インセンティブ**〟があります。これは、特に企業内では一般的かつ代表的なインセンティブであり、事例もこれについて問題にしています。このほか、仕事に対する成果や評価、また必ずしも仕事とは直接関係がない貢献に対する評価などの〝**評価的インセンティブ**〟、人格や憧れの人、尊敬する人などの〝**人的インセンティブ**〟、経営理念や価値観などに共鳴する〝**理念的インセンティブ**〟、そして仕事そのものの面白さなど、自

インセンティブと欲求

物質的インセンティブ	生理的欲求、安全欲求
評価的インセンティブ	尊厳欲求、自己実現欲求
人的インセンティブ	愛情欲求
理念的インセンティブ	尊厳欲求、自己実現欲求
自己実現的インセンティブ	自己実現欲求

出所）伊丹敬之・加護野忠男著『ゼミナール経営学入門』日本経済新聞社

分自身の満足を得られる環境である〝**自己実現的インセンティブ**〟があります。

さまざまな種類のインセンティブが存在するということは、個人の価値感だけでなく、それに伴うインセンティブの役割も異なるということです。たとえば同じ金銭的なインセンティブでも、①報奨金や歩合などの「個人」ごとに、しかも「短期的」に得られるもの、②昇給や退職金など「個人」ごとに「長期的」に得られるもの、③大入り袋やチーム旅行など「チーム」で「短期的」に得られるもの、そして④全社共通の企業年金など「チーム」で「長期的」に得られるものなどに分けられます。それぞれの役割ごとに、その狙いと適正な業務の種類が変わってくるのです。

ANSWER & COMMENTARY

インセンティブは職務の内容・目的により変える必要あり②

E石油会社のケースは、個人に対して短期的なインセンティブを与えるためのものですが、インセンティブのタイプによって向く業務と向かない業務があります。そもそも、石油のようにシンプルかつ他のサービスとも代替が難しい商品の場合、新規営業と重要な取引先と長期的な関係を構築するルートセールスとでは、仕事の種類も目的も同一ではありません。そして短期的なインセンティブは、ルートサービス向きではないのです。

それにもかかわらず、E社の特別報酬制度は新規営業とルートセールスに対して同じ報酬達成基準を設定しています。万が一ルートセールス担当でこの基準を達成する者が現れたとしても、目先の売上獲得にのみ集中し、中長期的には会社の損失となる行動や行き過ぎた営業行為に走らせるきっかけをつくってしまうことも考えられます。

よって、E石油会社の人事所属のあなたが提案するに最も適正なのは、選択肢1となります。まずは、ルートセールスと新規営業の評価軸を分けることから始めるべきなのです。

選択肢2および3は、どちらも前述のような業務の違いを無視しながら、そこから生ま

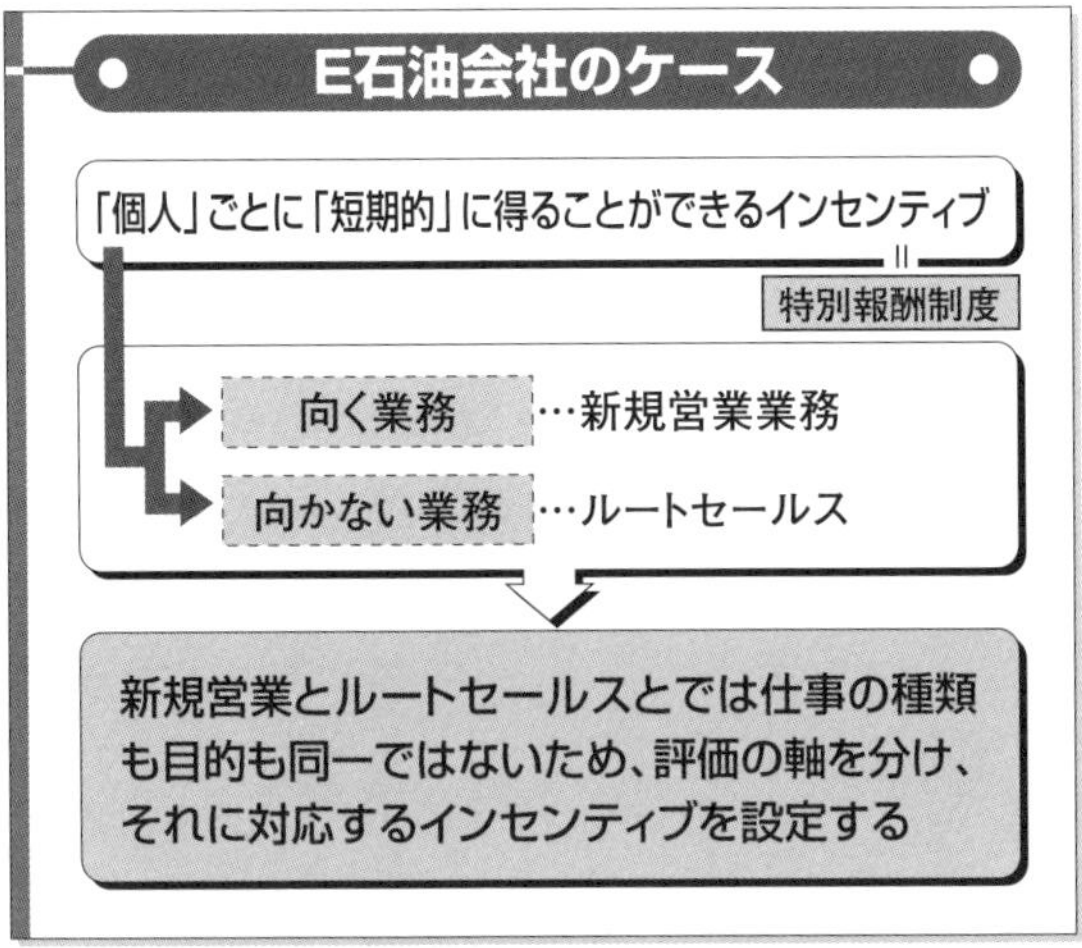
E石油会社のケース
「個人」ごとに「短期的」に得ることができるインセンティブ
＝
特別報酬制度
向く業務…新規営業業務
向かない業務…ルートセールス
新規営業とルートセールスとでは仕事の種類も目的も同一ではないため、評価の軸を分け、それに対応するインセンティブを設定する

れる悪影響をさらに助長させる危険性があります。選択肢4についても、同様の問題は解決することはありません。意図的に多くのモデルケースをつくるなどといったことは、かえって組織的な不公平さを加速させる結果になります。

そして選択肢5について重要なのは、組織のインセンティブと個人のインセンティブの間でいかにバランスをとり、短期・中期・長期的な連続した企業の成長をもたらすかを検討することです。完璧で一〇〇%公平な運用ができないからといって、インセンティブ制度そのものを廃止することは企業の成長戦略の一部を放棄してしまうことになるため、適当ではありません。

3-3 リーダーシップ

A社のプロジェクトマネジャーとして勤務している技術畑のS課長は、控え目な人物であり、決して熱いビジョンや理念を声高に語るタイプではありません。しかし、目的や仕事内容は、部下にもきちんと伝わる形で日々コミュニケーションをとっていました。

ところで、社長からの通達により、三カ月で備品をバーコード管理できるシステムをつくらなければならなくなりました。そしてS課長をチームリーダーとして、システム構築の計画が練られ、進められることになりました。

しかし、仕事がうまく割り振られていなかったため、途中でチームの二人が同じ作業を同時に行ってしまいました。ミスはメンバーの勘違いによるものでしたが、S課長は自身の管理不足を反省しています。また、同部のT課長は部長に対してS課長のリーダーシップに疑問を唱え、担当替えを進言しました。一方、チームの一員であるM主任とY係長はチームのミス再発防止のために、早やかにプロジェクト内で仕事の進捗状況が確認できるよう、リアルタイムでの情報共有が可能なプロジェクトマネジメントシステムをつくりました。

Q　この状況におけるS課長の評価として最も適切なものは、次の五つのうちどれでしょうか？

1. チームに目的や理念を確実に伝え、仕事の知識も十分持ち合わせている。カリスマタイプではないが、部下が自主的に行動できるような体制をつくっており、リーダーシップは持っているといえる。
2. リーダーとして必要な個人的特性を持ち合わせていない。知性、行動力、信頼感のうち行動力が欠けているため、より厳格に監督できるよう管理方法を変えるべきである。
3. T課長のほうが、よりリーダーとして力を発揮し、組織を掌握する力を持っている。
4. 専制型ではなく、どちらかといえば民主型であり、リーダーシップを発揮する立場には向いていない。
5. S課長は自由放任主義である。プロ集団のようなチームであれば自律的に成長できるだろうが、技術や知識の差がある組織では難しい。そのような組織内では、S課長は専制型のリーダーシップを発揮すべきである。

ANSWER & COMMENTARY

A 1 リーダーシップ＝カリスマ性ではない①

リーダーの役割は、個々のモチベーション向上のために会社としてインセンティブを提供し、個人と組織の目標を合わせるための指針をつくり、同じ方向性の中でそれらを確実に実行していくことです。そのためには、単に役職などの権限を持っているだけではなく幅広い情報や知識、人間関係を円滑に保つための行動様式が必要となります。

しかし、リーダーとして果たすべき役割は別として、いわゆるリーダーシップには「唯一の形」というものは存在しません。リーダーシップと聞くと、有名企業のカリスマ社長や熱血営業部長などを思い浮かべる人も多いでしょう。しかし、個人の普遍的な資質やスキルだけでは上手にリーダーシップを発揮し、組織を動かすことができないということも多々あります。それは、リーダーが担う責任の対象として、業務に合わせたチームが存在するからです。

リーダーシップの型（K.レビン）

❶専制型

リーダーが独裁的にすべてを決定する

❷民主型

リーダーの助力により集団で討議し、決定する

❸放任型

すべてを個人の裁量に任せる

まずリーダーシップを発揮する相手がおり、その相手には個人の集合としての組織など、他のメンバーが密接に関わってきます。たとえば、典型的な営業会社ではカリスマ営業リーダーがいて専制的にチームを統率し、ある一定のノルマを目指して組織の目標を明確に訴えることがあるかもしれません。一方、結果よりもそのプロセスを重視して、チーム内で学習し、誉め合いながら最終的には目標を達成するという営業会社も存在します。

レビンは、①専制型（リーダーが独裁的にすべてを決定する）、②民主型（リーダーの助力により集団で討議して決定する）、③放任型（すべてを個人の裁量に任せる）という三つのリーダーシップの形態を挙げています。

リーダーシップ＝カリスマ性ではない②

それでは、正解である選択肢1以外の選択肢について見ていきましょう。

選択肢2は、リーダーシップの**特性論アプローチ**について述べています。これは一九三〇年から一九四〇年にかけて研究された考え方で、「リーダーは、リーダーとして一般の人々とは異なる優れた個人的特性を持っており、リーダーシップの有効性はリーダーの個人的特性によって規定される」といった仮説に基づいています。

このアプローチでは、①知性（学識、判断力、創造性）、②行動力（判断力、協調性、社交性、適応力、根気、忍耐力）、③信頼感（自信、責任感、地位）の三つをリーダーシップの特性として挙げています。しかし残念ながら、優れたリーダーに求められる特性や資質は、集団や組織のタイプや状況によって異なります。そのため、特定化することはできませんでした。

また選択肢3については、確かにT課長は現状を心配し、チームとしてのより強固な体制づくりのため、部長に進言をするなどの行動を起こしました。しかし、それによって彼

●リーダーシップ特性論アプローチ●

優れたリーダー仮説	リーダーシップの特性
①一般の人々とは異なる優れた個人的特性を持っている	①知性（学識、判断力、創造性）
②リーダーシップの有効性はリーダーの個人的特性によって規定される	②行動力（判断力、協調性、社交性、適応力、達成志向、根気、忍耐力）
	③信頼感（自信、責任感、地位）

欠点　特性論アプローチでは、優れたリーダーに求められる個人的特性を特定化することはできない（優れたリーダーに求められる特性や資質は、集団・組織のタイプや状況によっても異なるため）

ホワイトとリピット

「専制型」「民主型」「自由放任型」の3つに分ける

↓

民主型が望ましい

がS課長よりも優れたリーダーシップを発揮しているとはいえません。むしろ、S課長の民主型リーダーシップの行動様式がM主任やY係長の改善行動を引き起こしたと考えられます。

最後に選択肢4と5についてですが、S課長は確かに専制型よりも民主型のリーダーということができます。しかし、それがリーダーシップに向いていない理由にはなりません。前述のとおり、リーダーシップに唯一の特性はないからです。ただし、ホワイトとリピットは専制型、民主型、自由放任型というリーダーシップの形態のうち、最も民主型が望ましいとしています。

3-4 パワーとエンパワーメント

従業員四〇人の薬品会社を経営するあなたは、自分と既存社員に薬品についての詳しい知識がなく、事業の範囲が狭まっていることを痛感しています。また、これまで自分で組織を運営してきましたが、自分の実力以上の会社へ脱皮することができず、現状のままでいけば個人商店の域を脱することができないこともわかっています。

この状態を打破するために、薬品に詳しく人望も厚い営業担当のA氏と、薬品知識では業界随一ですがコミュニケーション能力が乏しい商品開発担当のB氏を高額の報酬でスカウトしました。さらに、社内における実力主義を徹底したいあなたは、今後、能力重視で社員を処遇することを考えています。一方で、積極的に組織全体に責任と権限を振り分けていき、それにより組織全体が常に成長し続けるような自律型組織を目指しています。

Q あなたは、どう組織を構築していきますか？

1. 創業時から頑張ってくれたメンバーや二〇年間会社に貢献した社員を差し置いて、A氏やB氏により大きな権限を最初から与えるのは既存の組織に動揺を与える。そのため、彼らに対する報酬は大きくしても、職位については摩擦が起きぬよう既存社員と同様に設定する。

2. タイプと役割の違うA氏とB氏に同様の権限を与えるのは危険である。営業の権限はA氏に、薬品開発の権限はB氏に与えることが考えられるが、仕事の知識・スキルだけでなく、社内の情報や資源をうまく活用し、さらなる権限が部下にエンパワーされるか否かを見極める必要がある。

3. 実力主義に移行するにあたり、A氏とB氏だけを特別扱いをするのは公平ではない。一度組織をフラットにし、知識やスキルのレベルを考慮して権限を与える必要がある。

4. A氏、B氏とも同等レベルの市場価値であり、報酬に応じて他の社員よりも大きな権限を同等に与えるべきである。それにより既存の組織にも刺激を与え、全体のモチベーションも向上する。

5. 現在のあなたの権限を全員に分配させ、各自責任を意識することにより組織的な成長を図る。

ANSWER & COMMENTARY

パワーが負の力として使われると社内政治や派閥争いなどが発生

A 2

リーダーは、組織形態にあったリーダーシップの条件の下で組織を率いて目的を実行していくものですが、そのためにはリーダーシップに加え、目的を円滑に達成していくための**権力（パワー）**が必要となります。

パワーは、①報酬や出世に影響を与える**賞罰の（恐怖心を与える）権力**、②「社長命令なので仕方がない」といった地位などからくる**正当化の権力**、③「この人のためになるなら一緒に残業しても構わない」などの**心理的同一化の権力**、そして④専門的知識などの情報を持っていることから発生する**情報の権力**などが挙げられます。

各自が各分野において①～④のうちのいずれかもしくは複数のパワーを持つことにより、組織内の相互作用で切磋琢磨するのに加えて、指揮命令の明確なラインができ、最終的には組織の目標を達成するよう統率されます。そして事例における問題の焦点は、会社とし

4つのパワー

1 賞罰

年収や出世などに影響を及ぼす力を持つ人が他者に対して権力を行使できるもの

2 正当化

個別の損得勘定でない納得性からくる権力。「社長命令なので当然である」など

3 同一化

心理的に一心同体（＝同一化）となることで発生する権力。「この人のためだったら残業してもかまわない」など

4 情報

専門的な知識や優れた情報を持っていることを基盤とした権力

てどれほどの職位や権限をA氏とB氏、さらにその他の既存メンバーに与えるべきか、ということです。

パワーが難しいのは、プラスの力として働く限りは問題は発生しませんが、各人が自分自身の目標達成のみにパワーを用いるようになったときに社内政治活動や権力闘争、派閥争いなど負の力となって組織全体の力が低下してしまうことです。また、パワーがうまくメンバー間に委譲されるのであれば、全員参加型のグループ経営が可能となります。十分な**権限委譲（エンパワーメント）**が実行されなかったり、全員参加型の運営能力のないメンバーに権限委譲したりすることは、チーム全体のリスクに直結します。

四つのパワーのどれを誰に委譲するかを吟味

では、それぞれの選択肢について見ていきましょう。

まず選択肢1は、実力主義・能力重視を最初から否定してしまっています。社内に摩擦を起こさないために能力主義を採用しないのではなく、むしろ、大きな摩擦が起きないためには何が必要かを考え、明確な基準の設定とその十分な説明とともに新たな組織づくりを考えるべきと思われます。

選択肢2は最も適した方法といえます。ただ、個人主義のB氏に全員参加型の組織運営能力がない場合、その権限が不当に扱われるリスクがあるため、その点に関しては十分に見極める必要があります。

選択肢3は、いくら組織をフラットにしたところで、知識・スキルレベルを基にした権限を与えてしまえば、人望の厚いA氏のみならず個人主義のB氏までも組織運営能力の有無にかかわらず相対的に大きな権限を持つことになります。これもリスクにつながります。

選択肢4も同様です。

パワーマネジメント

①達成目標を明確化	何を達成したいか
②相互依存関係を明確化	誰がキーパーソンか
③キーパーソンの視点を分析	キーパーソンにとって自分の目標はどう映るか
④キーパーソンのパワーを分析	どのパワー要素が意思決定に重要か
⑤自分の持つパワーを分析	どのようなパワーを開発し利用することで目標を達成できるか
⑥具体的な戦略や戦術を検討	①～⑤に基づき、最も望ましい戦略・戦術を決定して実行

出所）Jeffrey Pfeffer,Managing With Power:Politics and Infiuence in Organizations(Harvard Business School)

そして選択肢5については、個人主義のB氏だけでなく、エンパワーメントを確実に成果へ結びつける能力がない他のメンバーに対しても権限を与えてしまうことにつながります。それにより、リスクはさらに広がります。

リーダーは、目標達成に向けて周りのメンバーやそのパワーの使い方、環境などを含めたバランスを考えて管理しなければなりません。これを**パワーマネジメント**といいます。なお、パワーマネジメントを行うにあたっては、①達成目標の明確化、②相互依存関係の明確化、③キーパーソンの視点を分析、④キーパーソンのパワー分析、⑤自分の持つパワーの分析、⑥具体的な戦略や戦術を検討、という六つを行う必要があります。

3-5 組織開発の変革プロセス

あなたが取締役を務めるZ銀行は、戦後まもなく構築された組織形態を五〇年以上経った現在でも採用しています。そのため意思決定のプロセスなどに関しての効率の悪さが目立ち、不景気も重なって業績の低下が目立つようになってきました。ようやく先月、社外取締役より「組織の効率化を目指した組織改革の必要性」を指摘され、その実施が決定したところです。

社内調査の結果でも、職員は改革の必要性を感じているようです。しかし、人事組織担当役員であるあなた以外の社内ボードメンバーは非常に保守的であり、改革について懐疑的な意見を述べています。

Q 既存の組織構造の中で、あなたはどのようにして組織改革を進めていきますか?

1．まず中堅社員を集め、硬直化しがちな経営判断や各種意思決定に対して積極的に現実的な声を入れるため意見聴取する。

2．まず、変革に反対している社内ボードメンバーを集め、変革の必要性についての十分な意見のやり取りを行い、不満要素を払拭する。

3．現実的に考えて、既存の組織を変えるのは非常に困難であり、失敗の反動も大きいと思われる。よって、周りの役員たちの意見を尊重しながら、改革よりも改善を積み重ねる方向性を唱える。

4．既存の組織との利害関係がない外部のコンサルティングを依頼し、社内政治や既得権などの不当な要因を取り除いた意思決定を促す。

5．計画を公表すると、不満分子により潰されかねないので、細かいアクションプランとそのための前提を練ったうえで、期が変わる際に全社一斉に変革を行う。

ANSWER & COMMENTARY

A 2 組織変革の手順は「解凍→移行→再凍結」

事例のような組織変革のプロセスは、一九六〇年代にレビンらにより行動科学に基づいた方法として提示されています。そのプロセスは三つのステップに分かれています。

最初のステップは「**解凍**」です。これは、メンバーの間に現状を理解させ、変革の必要性を認識させることです。人間は基本的に現状を維持させたいという力が働き、それを否定するような変革に対して抵抗を起こすものです。これらの抵抗を打ち破るには、まず十分な時間をかけて準備をし、現状の理解と変革の必要性を少しでも感じ取ってもらい、現状の殻を崩してコミュニケーションが取れる状態（雪解けの状態）にさせることです。

そして少しでも聞き入れる態勢に入ったメンバーに対し、望ましい変化に向けての具体的な行動を唱え、実際の行動を起こすのが、第二段階である「**移行**」です。最後に、それらの新たな状況や行動が定着するよう、工程や仕組みを確立させる「**再凍結**」を経て変革

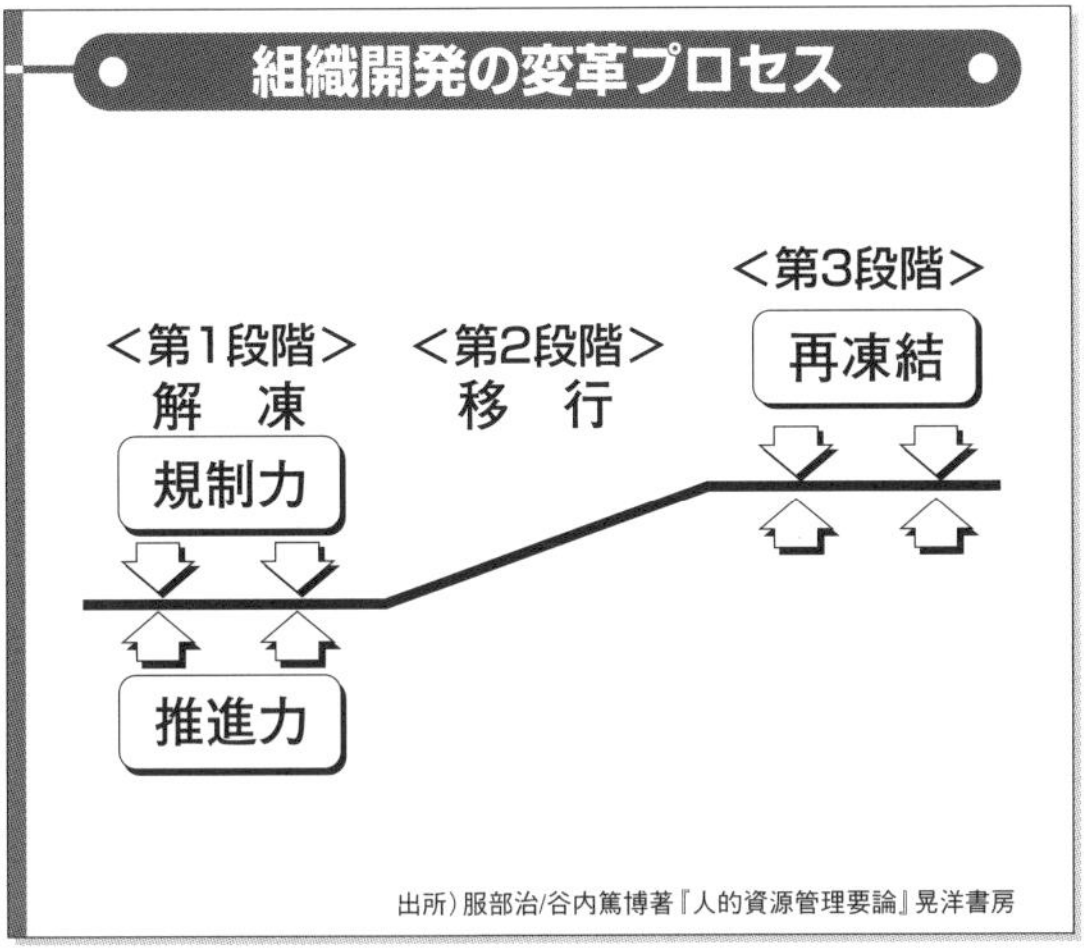

出所）服部治/谷内篤博著『人的資源管理要論』晃洋書房

を成し遂げます。

選択肢1と5は、それぞれ第二段階の「移行」から変革を進めようとするもので、最も既存の抵抗勢力の影響を受けやすい状況をつくってしまうことになりかねません。また、選択肢3は変革の選択肢を放棄するものであり、問題の根本と現状を変えることにはなりません。

選択肢4は、問題そのものではなく手法について述べているものです。コンサルティングを通して選択肢2のようなステップを踏むのであればよいと思われますが、外部コンサルタントを活用しても、強引に変革を行うような荒療治を行えば、変革そのものが失敗に終わるリスクが大きいといえます。

3-6 評価システム

あなたはイベント企画会社Hのスタッフです。H社では、イベントごとにスタッフの能力開発を最大限効果的に行うために、さまざまな側面から評価制度を改善し、手作りの目標管理制度（MBO）により、四半期に一度、直属の上司二名と部下である対象者で任意に目標と難易度をすり合わせ、前回のイベントにおける結果の評価を行ってきました。また、研修を充実させ、より効率的かつ創造的に仕事をする訓練の機会を設けたり、それぞれの効果測定のための資格試験や顧客からのフィードバックも実施しました。

次々と改善策を創造し実施していくのですが、一年経っても売上高は改善以前と変わることなく、また顧客の反応もこれといって大きく変わってはいません。そればかりか、自分の評価に不満があり、スタッフのモチベーションが低下しているという声すら聞かれます。これらのことから、あなたは評価の正当性・正確性に問題があると考えています。

Q　あなたは次のうち、どの改善策を提案しますか？

1．評価者ごとの主観による評価のブレを避けるため、評価のサンプル数を多くし、公平に平均を取るようにする。
2．評価者と対象者自身の評価は常にギャップが発生するもの。対象者に対する評価制度の説明を会社として行うことで、不満を削減する努力を行う。
3．評価基準を明確にしたうえで評価者研修を行い、具体的な評価項目の落とし込みを行う。
4．目標管理制度は、目標の設定時点で難易度の設定など公平性が失われがちであるため、コンピテンシー評価に移行する。
5．三六〇度評価にすることで、上司だけでなく部下、同僚など透明性のある評価の徹底に努める。

ANSWER & COMMENTARY

評価項目に加え、評価者訓練を通して徹底した評価の正当・正確性維持が必要①

A 3

人間が評価を行う以上、すべての主観を廃し、誰が見ても納得できる評価を行うなどということは非常に困難です。現実には、少しでも客観的かつ納得性のある評価制度に近づけるため、いかに評価基準を設定し、誰がどのようにその評価を行うか、という点についての十分な準備と時間が必要となります。

正当かつ正確な評価に近づけるベースとしては、四つの事柄が重要になってきます。まずは「誰が評価すべきか」ではなく、「誰が評価できるか」について考えることです。対象者を評価するために十分な情報を持ち得ない人では、感情や主観に流されてしまいがちで、正確な評価にはなりません。そのため、評価するにあたって最も情報を手に入れやすい人を評価者とする必要があります。

そのうえで、評価者が対象者を直接観察できる機会を増やす仕組み（環境）をつくりま

一般的な業績評価の目的

- A 人材の選抜、給与・昇進などに関する意思決定
- B パフォーマンス向上のためのフィードバック
- C 組織内・職場内コミュニケーションの促進

正確な評価に近づけるベース

1. 対象者の評価に関する情報を最も手に入れやすい人を評価者とする
2. 評価者が対象者を直接観察できる機会を増やす環境を整える
3. 評価者が積極的に対象者の評価に用いる情報を収集するよう動機づけをする
4. 評価の軸を固定する

す。直接観察できる機会が増えれば増えるほど、その情報量が増えるわけであり、正確性も増すことになります。同時に、評価者が積極的に対象者の評価に用いる情報を収集するよう動機づけをすることも大切です。

人が人を評価するということは非常に大きなことです。対象者にとってみれば、その評価により報酬や昇進など今後のキャリアが決まってしまう可能性のあるものだからです。評価者はそのことをきちんと意識し、ミスのないよう自ら十分な情報を得る努力をする必要があります。そして最も大切なことは、これらの情報を基に行う「評価の軸」を固定することです。

評価項目に加え、評価者訓練を通して徹底した評価の正当・正確性維持が必要②

前ページで、正当かつ正確な評価に近づけるベースとしては次の四つが重要だと述べました。

①対象者の評価に関する情報を最も手に入れやすい人を評価者とする
②評価者が対象者を直接観察できる機会を増やす環境を整える
③評価者が積極的に対象者の評価に用いる情報を収集するよう動機づけをする
④評価の軸を固定する

実際には、評価者研修などのトレーニングにより基準のズレを防ぐ訓練を数多く行ったうえで、評価者間でも評価のブレをなくすための努力をすることが大切になります。

たとえば、**ハロー効果**（人間関係づくりの上手な人が協調性とコミュニケーション能力で最高評価を得ることで、他の知識やスキル面などについても高めの評価になり、総合的な高評価にもつながる）や、**中央化傾向**（間違いを避けるために平均的な評価をしがちになる）などは、評価者の評価基準が統一されていないことから生じる不具合です。つまり、い

人事考課における心理的偏向

中央化傾向	評定尺度上の中央部分に不当に評価が集中すること
寛大化傾向	自分の部下の評点を実際よりも甘くつけてしまう傾向
ハロー効果	特定の要素が格段優れていると、他の悪い面が見えなくなる傾向
論理誤差	考課要素間に類似した意味があると、類似した評点をつけてしまう傾向
対比誤差	自分を基準にして過大評価、過小評価する傾向

くら完璧な評価項目をつくったとしても、評価軸のブレ一つですべて台無しになってしまうということです。

以上のことをふまえて、それぞれの選択肢を見ていきましょう。まず選択肢1は、直接対象者を知らない評価者を多くしても、ブレが少なくなるばかりか、かえって正確性を欠いた評価結果を生むことになる可能性があります。また、選択肢2では評価そのものを放棄していることになり、問題の解決にはならないといえます。そして、選択肢4と5は評価制度自体に言及しているだけで、肝心のいかに評価基準を明確にするかといった問題が解決されていません。よって、選択肢3が改善策として最もふさわしいものとなります。

3-7 組織構造

あなたは小さな自動車メーカーV社のスタッフです。

V社には開発部門・製造部門・販売部門があり、それぞれの部門は専門性を高めることに成功しました。ところが、販売部門では最近、販売数が急激に伸びたことによって在庫が不足し、先月より顧客からのクレームが増加しています。そこで、販売部のY部長は生産量を増やすよう社長室に要請書を出しました。

一方、製造部門は、労働時間増加によってスタッフの不満が増大し、モチベーションが低下してしまっています。また、それが原因で、生産量が日に日に落ちています。ところが、社長は労働組合との折衝に多くの時間を費やしており、意思決定が遅れています。

Q　各部門での歪みをなくし、迅速な意思決定を行うためには、どのような組織を構築すべきでしょうか？

1．社長にすべての権限を戻し、ピラミッド型の指揮命令系統を強くする。
2．無理な生産活動に対する協力を促すため、労働組合に権限を与え、労働者の生活に合わせた仕組みを構築する
3．製造が追いつかない現状での問題であるため、発注が落ち着くまで引き続きモニターをしていく
4．民主的に会社経営を行うために、各部門の代表を集めて意思決定をするシステムを導入する。
5．製品別の事業部をつくり、その事業部において開発・生産・販売を一貫して行えるようにする。

事業拡大期における機能別組織は事業部(事業本部)制へ①

ANSWER & COMMENTARY

A 5

V社の例のように、開発、製造、販売部門と役割別に分けられた組織を**機能別組織**といいます。機能別組織では、各部門の専門性が徹底するためスキルの伝達や共有化がしやすく、効率性を高めることができます。しかし企業の成長と平行して、役割の異なる部門間における意思疎通の管理など、本社が全事業に関する意思決定を行うことが非効率となっていきます。そのため、組織を製品別、地域別などの軸でいくつかの事業部に分け、それぞれの事業部内に開発、製造、販売部門を持つことによって、各事業部内で業務を完結させます。

この事業部組織ではそれぞれの事業部内で販売まで行うため、プロフィットセンターとして利益責任の追及ができるなどのメリットがあります。本社にとって各事業部の評価に役立つだけでなく、事業部の責任者にとってみれば自分が扱う製品についての利益責任を実現するための大幅な裁量権を持つことから、自主性が生まれることになります。

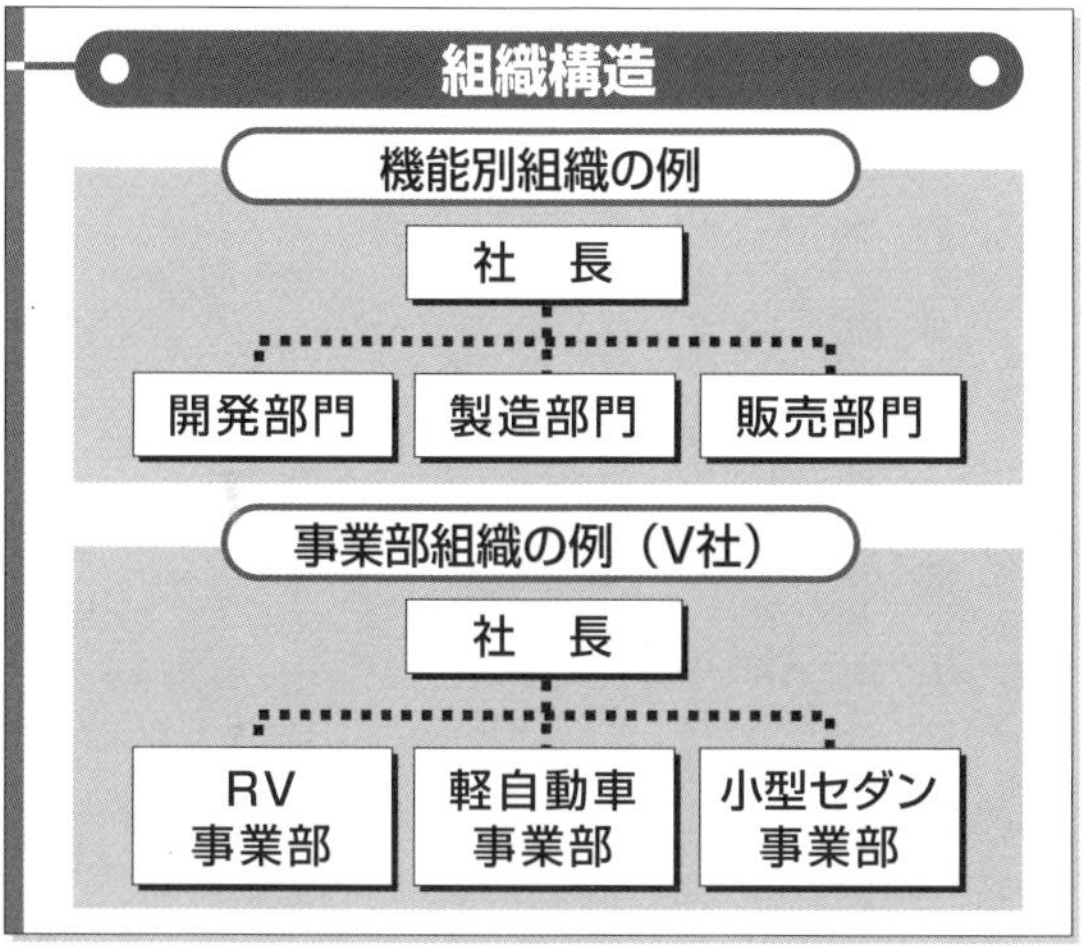

社長にすべての権限を戻してしまうという選択肢1は、もともと機能別組織の弊害が出ているところに、さらにそれを強めることになります。これは大きなマイナス要因となります。また選択肢2では、過度な生産活動に対する協力を促すために労働組合に権限を与えるとありますが、これは問題の解決にならないだけでなく、根拠のない労働組合とのパワーバランスの変化は企業活動の力を低下させる要因になります。

選択肢3は改善策を放棄することであり、本質的な問題の解決になりません。そして選択肢4は、組織構造とは別の次元での意思決定システムの話です。複数の意思決定プロセスの存在は、組織内での混乱を招きます。

事業拡大期における機能別組織は事業部(事業本部)制へ②

前述のとおり、V社にとって適切な方法は、選択肢5の**事業部制**の導入です。ちなみに事業部制の導入は、自動車や電機など製品数やサービス数が多い大企業によく見られるケースです。

一方で、この事業部制にも当然、次に挙げるようなデメリットが存在します。

①大幅な権限が事業部に委譲されるため、本部からの方針に対する忠誠度が下がる（本社にとってみれば、事業部に目が届きにくくなる）。

②短期の利益志向が強まり、中長期的な施策が打ち出しにくくなる。

③組織の壁により事業部内が硬直化し、事業部をまたがる新製品が生まれにくくなる。

④各事業部が経営機能を重複して持つため、経営資源面での無駄が生じる。

これらのデメリットを防ぐ方法として、**事業本部制**という組織形態の導入があります。事業本部制では複数の関連事業部を統括するだけでなく、事業に関連の深いR＆D(研究・開発)部門を事業本部下に置き、事業部間での顧客の取り合いや新製品の重複、R＆D機能

事業部制と事業本部制

事業部制のデメリット	
	①権限が各事業部に分権されているため、本部からの方針に対する忠誠心が低下
	②利益責任が追求されるため、短期的な業績に集中しがち
	③人事交流が乏しくなり、組織全体の硬直化が進む
	④各事業部で人事など同じ機能が重複するため、経営的に非効率

↓ 対策として

事業本部制

複数の事業部の統括に加え、事業に関連するR&D部門を事業本部に置くなど、事業部門での競争や重複、R&Dの投資重複を避けることができる

の重複によるコスト増を回避することができます。

なお、カンパニー制や持ち株会社制というのは、この事業本部の独立性をさらに高め、擬似会社制（カンパニー制）または実際の会社制にしたものです。この場合、事業の規模がより大きく、また経営の独立性がより強く設定されているため、意思決定と実施のスピードアップを図ることができ、組織の活性化と事業の利益を意識した経営を目指すことができます。また、本社にとっても経営システムの簡素化や将来の経営トップの育成、事業損益の明確化による事業の売却やM&Aによる事業構造の変革などを図ることが可能となります。

第4章

アカウンティング

4-1 損益計算書

同業種・同業態で規模も似通っているガラス製品メーカーA社とB社があります。そして、あなたは両社のライバル会社であり、市場リーダーでもあるC社の経営企画部に所属しています。あなたは上司からライバルになり得るA社とB社の財務データを提示され、両社を分析するよう指示されました。

示された資料は図表のとおりで、売上高と最終的な利益である税引後利益は両社同額となっています。

Q まず、B社の営業利益と経常利益を算出してください。さらに、A社とB社のどちらが本業での収益力があるでしょうか？

1. 営業利益四〇〇〇万円、経常利益二八〇〇万円。B社のほうが収益力がある。
2. 営業利益一〇〇〇万円、経常利益二八〇〇万円。B社のほうが収益力がある。

A社とB社の財務データ

（千円）

	A社	B社
売上高	200,000	200,000
売上原価	140,000	160,000
販売費及び一般管理費	30,000	30,000
営業外収益	3,000	23,000
営業外費用	5,000	5,000
特別利益	2,000	2,000
特別損失	1,000	1,000
法人税	15,000	15,000
税引後利益	14,000	14,000

3. 営業利益四〇〇〇万円、経常利益二八〇〇万円。A社のほうが収益力がある。

4. 営業利益一〇〇〇万円、経常利益二八〇〇万円。A社のほうが収益力がある。

5. 営業利益一〇〇〇万円、経常利益二九〇〇万円。A社のほうが収益力がある。

本業における収益力は「営業利益」

A 4

この事例は、損益計算書の理解度合いを問うものです。損益計算書は、一定期間（通常は一年）の企業の経営成績を表しており、**利益＝収益－費用（損失）**という算式で計算されます。利益の計算プロセスをわかりやすく表現するため、それぞれが意味のある以下の五つの段階的な利益を表示しています。

①**売上総利益（売上高－売上原価）**…「売上高」から仕入原価や製造原価である「売上原価」を差し引いて計算される利益で、粗利益とも呼ばれています。

②**営業利益（売上総利益－販売費および一般管理費）**…「売上総利益」から、営業マンの給料など販売活動および管理活動に伴って発生する費用である「販売費および一般管理費」を差し引いて計算される利益で、「本業での儲け」を表します。

③**経常利益（営業利益＋営業外収益－営業外費用）**…営業利益に、受取利息など本来の事業

A社とB社の利益比較

本業での儲け ＝ 営業利益 ＝ 売上総利益 － 販売費及び一般管理費

（千円）

	A社	B社
売上高	200,000	200,000
売上原価	△140,000	△160,000
売上総利益	60,000	40,000
販売費及び一般管理費	△30,000	△30,000
営業利益	30,000 ＞	10,000

A社のほうが営業利益が多く、より収益力が高い!!

	A社	B社
営業外収益	3,000	23,000
営業外費用	△5,000	△5,000
経常利益	28,000	28,000

活動以外からの収益を加算し、支払利息など本来の事業活動以外からの費用を差し引いて計算した利益で、「企業経営活動全般としての儲け」を表した利益といえます。

④**税引前当期利益（経常利益＋特別利益－特別損失）**…経常利益に、臨時的または特殊な事情で発生した利益・損失を加減算した利益で、「最終的な利益」といえます。

⑤**税引後当期利益（税引前当期利益－税金）**…税引前当期利益から所得に課税する税金を差し引いた利益で、利益処分（配当など）に充てることのできる利益といえます。

本業の儲けである営業利益はA社のほうが多く、B社より本業における収益力が高いといえます。

4-2 貸借対照表

貸借対照表（バランスシート：B／S）は企業の一定時点の財政状態を表しており、資金の調達源泉とその運用形態を示しています。これを踏まえたうえで、次の事例を見てみましょう。

B社は、一九六八年設立の住宅に特化した建設業です。設立以来順調に規模を拡大し、設立当初五〇〇〇万円であった売上高は、現在では八五億円となっています。設立時の資本金は一〇〇〇万円でしたが、一九九〇年に九〇〇〇万円増資を行い、資本金は一億円、設立から現在までの留保利益である利益剰余金は二九億円となっています。

また、現在銀行より、設備資金として五〇億円借り入れており、この資金で機械設備や車両運搬具などの固定資産を三〇億円購入しています。このほかの資金の調達源泉としては、その他の諸負債一〇億円、資本準備金三億円、利益準備金七億円があります。なお、キャッシュの保有量としては、現金および預金が一一億円あります。

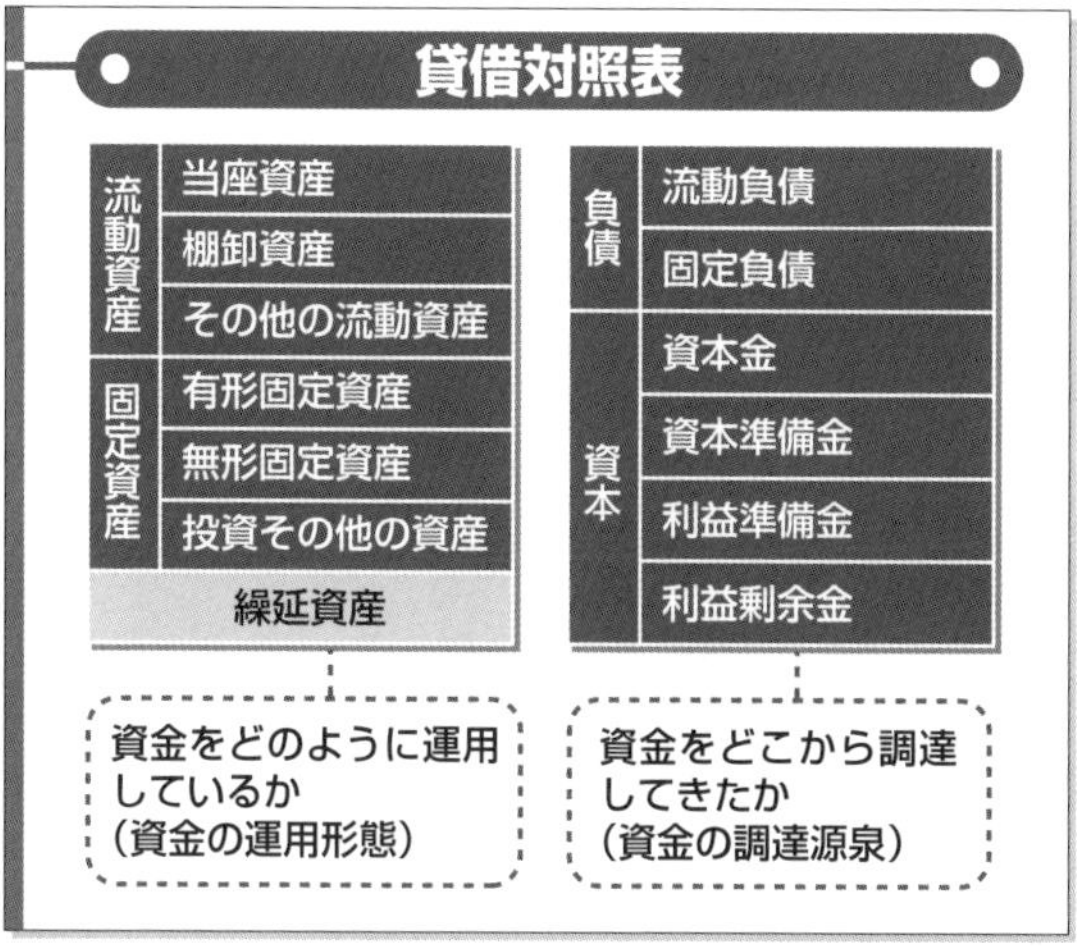

貸借対照表

資産		負債・資本	
流動資産	当座資産	負債	流動負債
	棚卸資産		固定負債
	その他の流動資産	資本	資本金
固定資産	有形固定資産		資本準備金
	無形固定資産		利益準備金
	投資その他の資産		利益剰余金
繰延資産			

資金をどのように運用しているか（資金の運用形態）

資金をどこから調達してきたか（資金の調達源泉）

Q　B社の現在の総資産額はいくらになるでしょうか。また、総資産額に対する自己資本の割合は何%になるでしょうか？

1．総資産額四一億円、総資産額に対する自己資本の割合二・四%
2．総資産額四一億円、総資産額に対する自己資本の割合四〇%
3．総資産額一〇〇億円、総資産額に対する自己資本の割合二・四%
4．総資産額一〇〇億円、総資産額に対する自己資本の割合四〇%
5．総資産額一四一億円、総資産額に対する自己資本の割合二・四%

総資本（総資産）額は「負債合計＋資本合計」

A 4

貸借対照表は、企業の一定時点（通常は決算期末時点）の財政状態を表しています。具体的には、企業がどのように資金を調達してきて（資金の調達源泉）、どのようにその資金を運用しているか（資金の運用形態）を表しているのです。資金の調達源泉は表の右側の「**負債・資本**」で、資金の運用形態は表の左側の「**資産**」で示されます。

B社の例において、まず右側に表示される資金の調達源泉である負債、資本を把握してみましょう。

負債は将来返済義務がある債務のことで、**他人資本**ともいいます。これには、金融機関からの借入金や未払いになっている仕入代金（買掛金）などがあります。事例では、借入金五〇億円、その他諸負債一〇億円がそれに該当し、負債合計は六〇億円となります。

また資本は、投資家から集めた元手と企業が今まで蓄積してきた利益を合計したもので

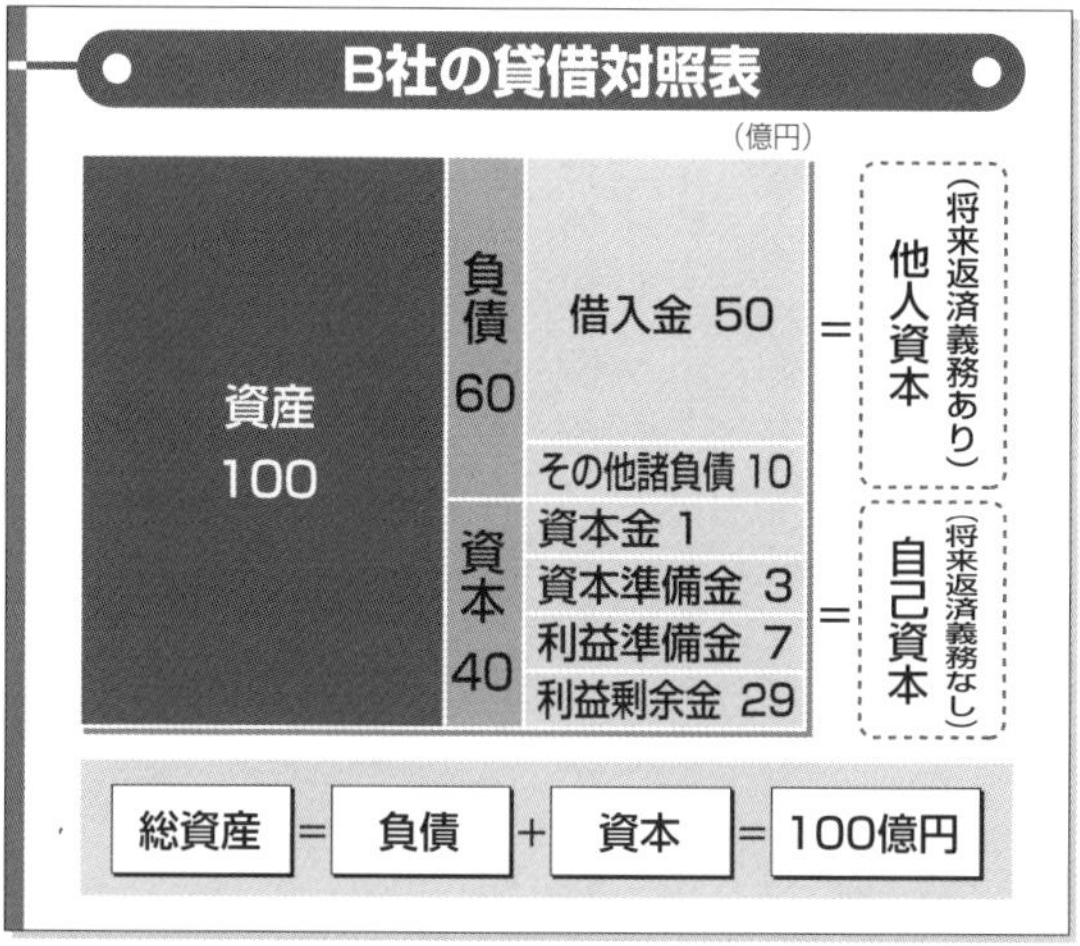

す。負債と違い、返済義務がないことから**自己資本**と呼ばれています。具体的には、株主の拠出資金である「資本金」、商法で積立が強制される「資本準備金（資本金同様、株主の拠出に基づく）」と「利益準備金（利益に基づく）」、過去の利益蓄積分から利益準備金を差し引いた「利益剰余金」が挙げられます。B社の例では資本金一億円、資本準備金三億円、利益準備金七億円、利益剰余金二九億円が該当し、資本合計は四〇億円となります。

　この負債合計と資本合計を合計したものが総資本（総資産）額で、B社の場合は一〇〇億円となります。そして、総資本に対する自己資本の割合は四〇億円÷一〇〇億円で、四〇％となります。

4-3 財務分析① ～収益性分析～

A社は横浜市で食品スーパーを多店舗展開しており、B社は東京都世田谷区を中心に食品スーパーを多店舗展開しています。二社の前期一年間の財務データは図表のとおりです。

Q 両社の財務データを使用して総資本対経常利益率を求めてください。さらに、収益性分析に関して的を射たコメントは次のうちどれでしょうか？

1. 総資本対経常利益率はA社二・三％、B社三二・四％と総じてB社のほうが高い。分解すると棚卸資産回転率はA社三〇・〇回、B社七一・二回、固定資産回転率は両社とも六・〇回転、総資本回転率はA社三・四回、B社五・五回とB社の資本投資の効率性が上回り、売上高対経常利益率もA社〇・六七％、B社五・八五％と、B社が圧倒的に高く推移している。

2. 総資本対経常利益率はA社二・三％、B社三二・四％と総じてB社のほうが高い。

A社とB社の財務データ

（単位：百万円）

	A社（神奈川県横浜市を中心とした食品スーパー25店舗を展開）	B社（東京都世田谷区を中心とした食品スーパー16店舗を展開）
総資産額	3,500	1,700
棚卸資産額	400	132
固定資産	2,000	1,566
売上高	12,000	9,400
売上原価	9,000	5,640
販売費及び一般管理費	2,950	3,260
営業外収益	400	200
営業外費用	370	150

総資本対経常利益率を分解すると売上高対経常利益率はA社〇・六七%、B社五・八五%とB社が圧倒的に高いが、総資本回転率についてはA社六・〇回、B社六・〇回となり資本の効率運用の面では両社はあまり変わらない。よって、収益力の差は利益率の差であると解される。

3・総資本対経常利益率はA社二一・三%、B社三二・四%と総じてB社のほうが高い。総資本対経常利益率を分解すると売上高対経常利益率はA社〇・六七%、B社五・八五%とB社が圧倒的に高く、総資本回転率についてもA社三・四回、B社五・五回となり、資本の効率運用の面からいってもB社が上回っている。

ANSWER & COMMENTARY

総資本対経常利益率で企業全体の収益性を見る

A 3

この事例は、収益性分析の全体像が把握できているかを問うものです。企業全体の収益性を見る際には、企業の運用資金全体である総資本を使用してどれだけの経常利益（企業経営活動全般としての儲け）を生むことができたかを表す**総資本対経常利益率**を使用します。総資本対経常利益率は**経常利益÷総資本（総資産）**という算式で表されます。

A社：経常利益八〇〇〇万円÷総資本（総資産）三五億円＝二・三％

B社：経常利益五億五〇〇〇万円÷総資本（総資産）一七億円＝三二・四％

計算すると、B社のほうが全体的な収益力は格段に上回っていることがわかります。

次は、総資本対経常利益率を①売上高対経常利益率と②総資本回転率に分解します。算式は、**総資本高対経常利益率＝①（経常利益÷売上高）×②（売上高÷総資本）**となり、利益率と資本の運用効率という二面で企業の収益を測定することができます。

A社とB社の収益性分析

	A社	B社
売上高（百万円）	12,000	9,400
売上原価（百万円）	9,000	5,640
売上総利益（百万円）	3,000	3,760
売上総利益率（%）	25.00	40.00
販売費及び一般管理費（百万円）	2,950	3,260
営業利益（百万円）	50	500
営業利益率（%）	0.42	5.32
営業外利益（百万円）	400	200
営業外費用（百万円）	370	150
経常利益（百万円）	80	550
売上高対経常利益率（%）	0.67	5.85
総資産額（百万円）	3,500	1,700
総資本対経常利益率（%）	2.3	32.4
総資産回転率（回）	3.4	5.5
棚卸資産額（百万円）	400	132
棚卸資産回転率（回）	30.0	71.2
棚卸資産回転期間（日）	12.2	5.1
固定資産額（百万円）	2,000	1,566
固定資産回転率（回）	6.0	6.0
固定資産回転期間（日）	60.8	60.8

売上高対経常利益率はA社〇・六七%、B社五・八五%と圧倒的にB社のほうが高く、もっと掘り下げて見ていくと、売上高対売上総利益率に差が生じている（A社二五%、B社四〇%　※図表参照）ことがわかります。

また総資本回転率を見ると、A社三・四回、B社五・五回となり、資産の運用効率に関してもB社が上回っているといえます。これを掘り下げて見ていくと棚卸資産回転率（売上高÷棚卸資産額）に大きな差（A社三〇回転、棚卸資産滞留日数は一二・二日。B社七一・二回転、棚卸資産滞留日数は五・一日　※図表参照）があることに気づきます。A社では売れ残りがかなり発生しており、それにより売上原価が上昇している可能性があります。

4-4 財務分析②～安全性分析～

ここでは、全国でファミリーレストランを多店舗展開しているL社とP社が財務的にどの程度安定しているかを考えます。これは安全性分析といい、短期支払能力の分析（設問では流動比率で判断）、資金の調達・運用の妥当性の分析（設問では固定長期適合率で判断）、資本構成の分析（設問では自己資本比率で判断）の三つに分けられます。なお、両社の財務資料は図に示したとおりです。

Q 両社の財務資料に基づき、①流動比率、②固定長期適合率、③自己資本比率を計算し、良し悪しの判断をした場合に正しいのは次のうちどれでしょうか？

1. ①L社四四四・四%、P社四〇・〇%　②L社四六・六%、P社一六一・九%
③L社八六・六%、P社六六・七%　＜総合判断＞L社はよいがP社は悪い

2. ①L社四四四・四%、P社四〇・〇%　②L社四六・六%、P社一六一・九%

L社とP社の財務資料

（単位：百万円）

	L社	P社
流動資産	40,000	28,000
固定資産	27,000	170,000
繰延資産	5,000	12,000
流動負債	9,000	70,000
固定負債	5,000	35,000
資本合計	58,000	105,000

③L社八〇・六%、　P社五〇・〇%
〈総合判断〉P社はよいがL社は悪い

3. ①L社四四四・四%、P社四〇・〇%
②L社四二・九%、　P社一二一・四%
③L社八〇・六%、　P社五〇・〇%
〈総合判断〉L社はよいがP社は悪い

4. ①L社三五・〇%、　P社二五〇・〇%
②L社四二・九%、　P社一二一・四%
③L社八六・六%、　P社六六・七%
〈総合判断〉P社はよいがL社は悪い

5. ①L社四四四・四%、　P社四〇・〇%
②L社四二・九%、　P社一二一・四%
③L社八〇・六%、　P社五〇・〇%
〈総合判断〉P社はよいがL社は悪い

「短期支払能力」「資金の調達・運用妥当性」「資本構成の安定性」を見る

A 3

前述のとおり、安全性分析は企業が財務的にどの程度安定しているかを分析します。

短期の支払い能力を見る代表的な指標が**流動比率**であり、これは**流動資産÷流動負債**という式で表されます。一年以内に支払いが発生する流動資産に対し、一年以内に資金が回収される流動資産がどれだけあるかを見るものであり、一般的に一〇〇%を上回っていることが望ましいとされています。L社：四〇〇億円÷九〇億円＝四四四・四%、P社：二八〇億円÷七〇〇億円＝四〇・〇%となり、P社の値は低いといえます。

固定資産は投資した資金を回収するのに年数を要するため、その投資資金は返済義務のない自己資本か、長期にわたって返済できる固定負債で賄うのが理想です。それができているどうかを見るのが固定長期適合率で、**固定資産÷（自己資本＋固定負債）**という式で表されます。一般に、この割合が一〇〇%を下回らなければならないとされており、具体

L社とP社の財務比較

（単位：百万円）

	L社	P社
流動資産	40,000	28,000
固定資産	27,000	170,000
繰延資産	5,000	12,000
流動負債	9,000	70,000
固定負債	5,000	35,000
資本合計	58,000	105,000
流動比率	444.4%	40.0%
固定長期適合率	42.9%	121.4%
自己資本比率	80.5%	50%

流動比率：100%超が望ましい
固定長期適合率：70%程度が適当
自己資本比率：30%程度が適当

的には七〇％程度が適当といわれています。L社：二七〇億円÷（五八〇億円＋五〇億円）＝四二・九％、P社：一七〇〇億円÷（一〇五〇億円＋三五〇億円）＝一二一・四％となり、一〇〇％を大きく上回っているP社は調達と運用のバランスが悪いといえます。

自己資本比率は自己資本に対する総資本の割合を示し、**自己資本÷総資本**の式で表されます。自己資本比率が高いほど企業の安全性は高いとされますが、具体的には三〇％程度が適当といわれています。L社：五八〇億円÷七二〇億円＝八〇・六％、P社：一〇五〇億円÷二一〇〇億円＝五〇・〇％と、両社とも資本構成は安定しています。

よって、選択肢3が正しいものとなります。

4-5 損益分岐点分析① ～損益分岐点売上高～

あなたは、米国から日本に進出してきたエスプレッソコーヒーを中心としたコーヒーショップの多店舗展開事業が大成功を収めていることに注目していました。

そして現在、あなたはある商社から、フランスで成功を収めているコーヒーショップ「ZZZ Cafe」の多店舗展開事業を日本で始めてみないかと持ちかけられています。第一号店を東京銀座で開店するにあたり、あなたは採算シミュレーションをし、採算ベースに乗る収支トントンの売上高（損益分岐点）を算出しようとしています。

そして、事前調査により判明した数値は以下のとおりです。

○店舗賃料（店舗面積は二五坪）：一坪あたり月額五万円、

○エスプレッソマシーンなどの設備機器・備品のリース料：月額六〇万円

○従業員給料：月額七五万円　○その他諸経費：月額二〇万円

○コーヒーやケーキなどの商品仕入原価率：四〇％（仕損品も加味）

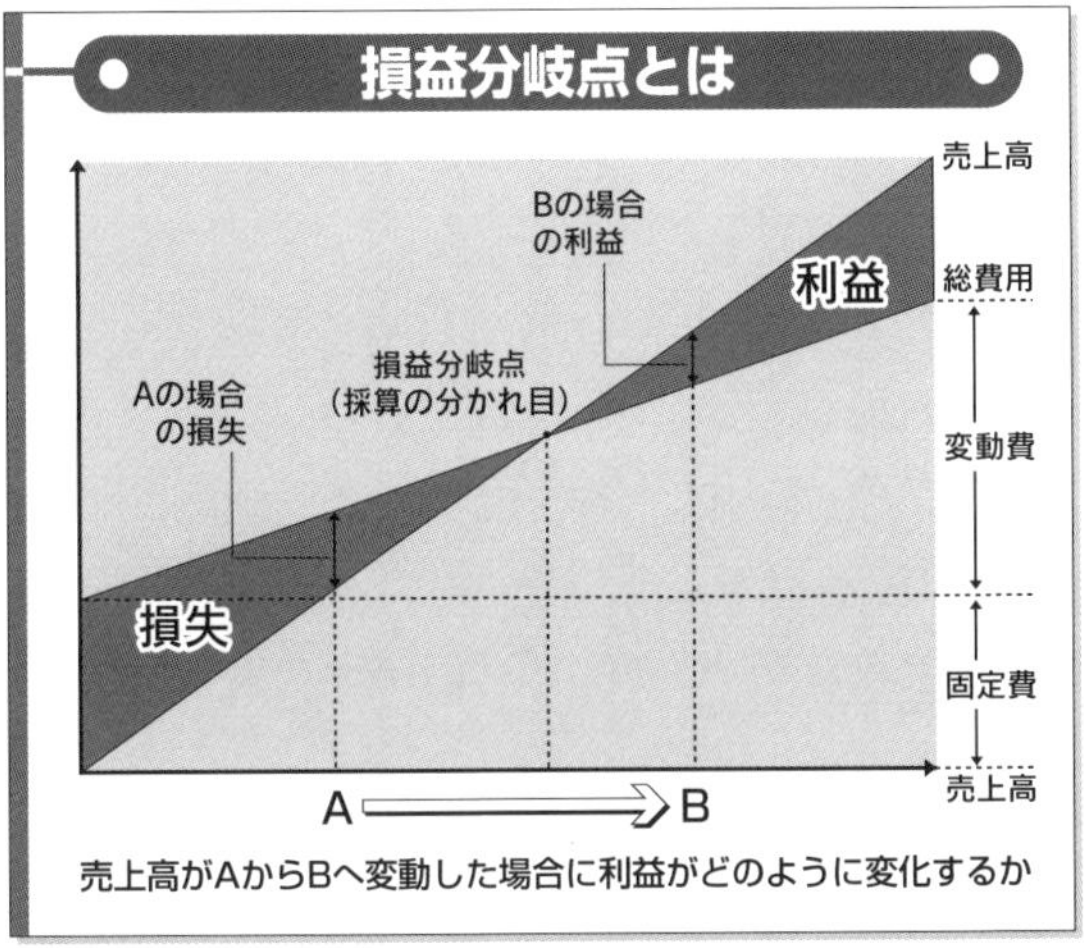

売上高がAからBへ変動した場合に利益がどのように変化するか

Q 一号店の月あたり損益分岐点売上高はいくらになるでしょうか。また、月額の目標利益を一五〇万円と設定した場合の目標利益達成のための必要売上高はいくらになるでしょうか？

1．損益分岐点売上高七〇〇万円
目標売上高一〇七五万円

2．損益分岐点売上高四六六万円
目標売上高七一六万円

3．損益分岐点売上高四〇〇万円
目標売上高七七五万円

4．損益分岐点売上高二六六万円
目標売上高五一六万円

5．損益分岐点売上高七〇〇万円
目標売上高八五〇万円

ANSWER & COMMENTARY

損益分岐点売上高は固定費÷限界利益率

A 2

損益分岐点とは、企業の損益がゼロとなるところ、つまり赤字から黒字へ変わる峠（瞬間）のことをいいます。事例のように損益分岐点売上高を算出することによって、採算ベースとなる売上高がその立地や競合環境、市場規模の下で実現できるものかどうかを検討することができるのです。損益分岐点とは、費用発生の前提を「売上高に応じて発生する変動費」と「売上には関係なく固定的に発生する固定費」に分類したうえで、「売上から変動費を差し引いた利益（限界利益）」が固定費を回収して採算ベースに乗る点ともいえます。これを事例にあてはめると、次のように説明することができます。

まず、変動費に該当するものは商品の仕入原価ですから、変動費率は四〇%となります。つまり、**限界利益率**（**限界利益÷売上高**）は六〇%となります。この限界利益が固定費を回収するので、**損益分岐点**は**固定費÷限界利益率**となります。前記の限界利益率の算式にお

公式による損益分岐点

限界利益	＝	売上高－変動費	1,000円－400円＝600円 ※仕入原価率が40%、つまり1,000円商品を売れば仕入原価は400円であり、限界利益は600円となる
限界利益率	＝	限界利益／売上高	600円／1,000円 ＝60%
損益分岐点売上高	＝	固定費／限界利益率	280万円／60% ＝466万円
目標利益達成のための必要売上高	＝	固定費＋目標利益／限界利益率	280万円＋150万円／60% ＝716万円

いて限界利益を固定費と置き換えると、**限界利益率＝固定費÷売上高**となります。そして、この式をさらに展開すると**損益分岐点売上高＝固定費÷限界利益率**となります。事例における損益分岐点売上高は、固定費二八〇万円÷限界利益率六〇%で四六六万円となります。固定費二八〇万円は残りの費用の合計です。

また、目標利益を加味した必要売上高は、損益分岐点売上高の算式を変形させて**（固定費＋目標利益）÷限界利益率**となります。事例では、（固定費二八〇万円＋目標利益一五〇万円）÷限界利益率六〇%で七一六万円となります。このように、利益計画にも応用することができるのです。

よって、選択肢2が正解となります。

4-6 損益分岐点分析②　～生産の意思決定～

刃物製造メーカーとして世界的に有名なK社では、登山用ナイフ「S.W.A.T」を主要製品として製造・販売しています。品質が優れている「S.W.A.T」は非常に好評な製品ですが、特殊な材料を使用しているのと、製造工程で特殊な焼き入れを施さなければならないため、設備費用の負担がかかります。そのため採算が合わず、赤字で生産・販売する状態が続いています。

登山ナイフ「S.W.A.T」の一本あたりの概要は次のとおりです。

○販売価格：一万二〇〇〇円
○変動費：九四〇〇円
○固定費(労務費、設備費)：五一〇〇円
○総費用：一万四五〇〇円
○純利益：マイナス二五〇〇円

なお、Ｋ社の設備はすべてリースで、契約がまだ一〇年ありますが、中途解約には多額のペナルティが課されます。従業員の解雇だけは避けたいという社長の意向もあり、固定費の削減は困難な状況です。

Q　Ｋ社は登山ナイフ「S.W.A.T」の生産を続けるべきでしょうか、それとも中止すべきでしょうか。また、その理由は何でしょうか？

1. 続けるべきでない。なぜなら、続けても赤字が増え続けるだけだからだ。
2. 続けるべきでない。なぜなら、生産工程においてコストの削減ができにくい製品だからだ。
3. 続けるべきでない。なぜなら、生産を中止して特殊な機械を売却すれば、キャッシュフロー上好ましい結果となるからだ。
4. 続けるべきである。なぜなら、生産工程でコスト削減を図れば黒字に転じる範囲の赤字だからだ。
5. 続けるべきである。なぜなら、生産を中止しても固定費が残る。しかし、生産を継続すれば、少しでも固定費を回収できるからだ。

A 5 費用を固定費と変動費に分類し、赤字生産継続の可否を決定

　K社のケースは、損益分岐点分析を実際の経営における意思決定に応用する場合の事例です。

　最終利益が赤字となる製品について、その生産・販売を継続するべきかどうかという意思決定についての問題ですが、注意すべき点が一つあります。それは、費用には**変動費**と**固定費**があるということです。固定費は、たとえ赤字製品の生産を中止したとしてもなくならない費用です。ということは、売上高から変動費を差し引いた限界利益が黒字であるならば、生産を続行したほうが得策といえるでしょう。なぜなら、その限界利益が少しでも固定費を回収してくれるからです。

　では、K社のケースで考えてみましょう。登山ナイフ「S.W.A.T」の一本あたりの採算性を見ると次のようになります。

S.W.A.Tの生産における意思決定

販売価格	12,000円
変動費	9,400円
限界利益	2,600円
固定費	5,100円

生産をやめても固定費の金額に変動がないため、限界利益がプラスである限り生産を継続すべき

【製品原価】変動費九四〇〇円＋固定費五一〇〇円＝一万四五〇〇円
【販売利益】販売価格一万二〇〇〇円－製品原価一万四五〇〇円＝マイナス二五〇〇円
ところが、限界利益を算出してみると、
【限界利益】販売価格一万二〇〇〇円－変動費九四〇〇円＝二六〇〇円
となり、この二六〇〇円が固定費を回収してくれます。五万本製造すれば一億三〇〇〇万円（二六〇〇円×五万本）分の固定費を回収してくれます。よって、このケースでは生産を続けるべきであり、正解は選択肢5です。

このように、損益分岐点分析は製品の生産や受注の際の意思決定や、採算がとれる最低受注単価を検討する際に有効となります。

4-7 損益分岐点分析③ ～プロダクトミックス～

あなたは大手家電メーカーT社に勤めています。T社の主力商品は洗濯機で、これは国内メーカーの中でも定評があります。あなたはT社のプロフィットセンター（各事業部で収益と費用が集計され、計算された利益に対して責任を負うセグメント）である洗濯機部門に所属しており、全権限を任されているマネジャーです。

洗濯機部門では現在、三種類の洗濯機を製造しています。同部門の月額固定費は三〇億円で、一カ月の生産可能台数は一〇万台です。

なお、洗濯機A、B、Cのそれぞれ一台あたりの販売額と変動費、月間販売可能台数は次のとおりです。

洗濯機A（高級品）：販売価格一八万円、変動費一四万円、販売可能台数三万台
洗濯機B（中級品）：販売価格一五万円、変動費一二万円、販売可能台数二万台
洗濯機C（廉価品）：販売価格一二万円、変動費七万円、販売可能台数六万台

大手家電メーカーT社の例

	洗濯機A	洗濯機B	洗濯機C	合　計
販売価格/個	180,000円	150,000円	120,000円	—
変動費/個	140,000円	120,000円	70,000円	—
固定費				30億円
月額販売可能台数	30,000台	20,000台	60,000台	110,000台

※生産可能台数は、1カ月あたり100,000台

Q 洗濯機部門の利益を最も大きくする製品の製造組み合わせはどのようになるでしょうか？　各製品の生産台数と部門全体の利益金額を求めなさい。

1．A：三万台、B：一万台、C：六万台
部門全体の利益額一五億円

2．A：三万台、B：二万台、C：五万台
部門全体の利益額八億円

3．A：三万台、B：一万台、C：六万台
部門全体の利益額一二億円

4．A：三万台、B：二万台、C：五万台
部門全体の利益額七億円

5．A：二万台、B：二万台、C：六万台
部門全体の利益額九億円

限界利益を最も大きくする製品の組み合わせを分析

ANSWER & COMMENTARY

A 1

複数の製品を取り扱っている場合、どのような組み合わせで販売すればよいのかについて検討することがあります。これを、**プロダクトミックス**といいます。

T社の事例について、利益をできる限り出すことを目標としたプロダクトミックスを考えてみましょう。損益分岐点分析を活用することによって、最適な製品の組み合わせがわかります。要は、限界利益を最も大きくするように組み合わせを考えればよいのです。

各々の製品の限界利益を示すと次のとおりになります。

洗濯機A：四万円、洗濯機B：三万円、洗濯機C：五万円

つまり、一台あたりの限界利益が多いC、A、Bの順に、販売可能台数と生産可能台数の限界まで製造すればよいことになります。すると生産台数は、洗濯機Cが六万台、洗濯機Aが三万台、洗濯機Bが一万台となり、合計で生産可能台数の一万台となります。

家電メーカーT社のプロダクトミックス

	洗濯機A	洗濯機B	洗濯機C
限界利益	40,000円	30,000円	50,000円

最適な製品の組み合わせ	1台あたりの限界利益が多いC、A、Bの順に、販売可能台数と生産可能台数の限界まで製造する

そして、各製品の生産・販売による限界利益金額は次のとおりになります。

洗濯機C：一台あたり限界利益五万円×生産台数六万台＝三〇億円

洗濯機A：一台あたり限界利益四万円×生産台数三万台＝一二億円

洗濯機B：一台あたり限界利益三万円×生産台数一万台＝三億円

最適なプロダクトミックスを構築できた結果、獲得できる限界利益の合計は四五億円（三〇億円＋一二億円＋三億円）となります。そこから月額固定費三〇億円を差し引くと、洗濯機部門全体の月額利益一五億円が獲得できることになります。

以上により、選択肢1が正解となります。

4-8 損益分岐点分析④ ～経営安全率～

X社は、食品卸売を事業内容とする全国規模の卸売業です。加工食品、飲料水、調味料などを食品製造メーカーから仕入れ、全国の小売店に販売しています。X社は全国の主要都市一五箇所に支店を持ち、各支店は独立採算体制を採っています。あなたは名古屋支店の支店長で、次のような八月分の財務データを経理部から入手したところです。

売上高：七億五〇〇〇万円、変動費：六億三七五〇万円、

固定費：一億五〇〇〇万円、最終利益：七五〇万円

Q 財務データに基づいて、まず損益分岐点売上高を算出してください。さらに現状の売上高と比較して、どの程度経営が安全であるかを見るために、経営安全額と経営安全率を計算し、経営安全率の数値の良し悪しをコメントしてください。その答えとしてふさわしいものは、次の五つのうちどれでしょうか？

経営安全率

経営安全額をパーセントで表したもの

↓

現在の売上高と損益分岐点売上高とを比較し、赤字になるまでにどのくらい余裕があるかを見る指標

1. 損益分岐点売上高七億円、経営安全額五〇〇〇万円、経営安全率六・六%、経営安全率はよくない
2. 損益分岐点売上高七億円、経営安全額五〇〇〇万円、経営安全率六・六%、経営安全率はよい
3. 損益分岐点売上高七億二五〇〇万円、経営安全額二五〇〇万円、経営安全率三・三%、経営安全率はよくない
4. 損益分岐点売上高七億二五〇〇万円、経営安全額二五〇〇万円、経営安全率三・三%、経営安全率はよい
5. 損益分岐点売上高七億円、経営安全額五〇〇〇万円、経営安全率七・一%、経営安全率はよい

ANSWER & COMMENTARY

経営安全率が低い＝赤字危険性が高い

A 1

まず、X社名古屋支店の**損益分岐点売上高**を、公式「**損益分岐点売上高＝固定費÷限界利益率**」にあてはめて計算しましょう。

限界利益率＝（売上高七億五〇〇〇万円－変動費六億三七五〇万円）÷売上高七億五〇〇〇万円＝一五％

損益分岐点売上高＝固定費一億五〇〇〇万円÷限界利益率一五％＝七億円

次に、**経営安全額**を計算します。これは、実際の売上高と損益分岐点売上高との差額であり、現状の売上がどれくらい下がると赤字に転落するかを表しています。公式「**売上高－損益分岐点売上高**」に事例をあてはめて計算すると、経営安全額＝売上高七億五〇〇〇万円－損益分岐点売上高七億円＝五〇〇〇万円となります。これは、名古屋支店は月額売上高が五〇〇〇万円下がると赤字に転落するということを示しています。

X社名古屋支店の経営安全度

経営安全額 = 売上高 − 損益分岐点売上高
= 750,000千円 − 700,000千円
= 50,000千円

経営安全率 = 売上高−損益分岐点売上高 / 売上高 = 経営安全額 / 売上高
= 50,000千円 / 750,000千円 = 6.6% …不況抵抗度が低い

↓

経営安全率の数値が大きいほど赤字になる可能性は低い

次は経営安全度を比率で見るため、経営安全率を公式「**(売上高−損益分岐点売上高)÷売上高=経営安全額÷売上高**」にあてはめて計算してみましょう。経営安全率=経営安全額五〇〇〇万円÷売上高七億五〇〇〇万円=六・六%となり、現在より売上高のダウンが六・六%以内であれば赤字にならないことがわかります。当然、この数値が高いほど赤字になる可能性が低く、不況抵抗度が高いといえます。そして、コメントは一般的には「よくない」と解すべきです。なぜなら、卸売業の市場・競争環境は厳しく、さらに激変しているため、一〇%の売上の増減などはすぐに生じてしまう可能性があるうえに、赤字転落に陥る危険性も高いといえるからです。

4-9 業績評価会計

M社は、国内においてニッチ戦略で展開するパソコン製造メーカーです。同社では事業部制組織を採用し、事業部に大幅な権限と責任を委譲して、効率的な経営を実践しています。現在はPC事業部、半導体事業部、携帯電話事業部の三つの事業部と本社という組織体制で、各事業部はプロフィットセンター（各事業部で収益と費用が集計され、計算された利益に対して責任を負うセグメント）となっています。

あなたは、主力事業部であるPC事業部の事業部長を担当しています。以下が事業部制における年間損益資料です。なお、本社費・共通費は従業員数（全社員数一三〇〇）を配賦基準としています

【PC事業部】売上高四五億円、変動費二九億二五〇〇万円、事業部固定費一一億円、本社費・共通費配賦額三億九五〇〇万円、純利益八〇〇〇万円、従業員五〇〇人

【半導体事業部】売上高二四億円、変動費一九億円、事業部固定費六億五〇〇〇万円、本社

費・共通費配賦額二億三八〇〇万円、純利益マイナス三億八八〇〇万円、従業員三〇〇人
【携帯電話事業部】売上高三二億円、変動費一六億円、事業部固定費七億五〇〇〇万円、本社費・共通費配賦額三億一七〇〇万円、純利益五億三三〇〇万円、従業員四〇〇人
【本社】売上高〇円、本社費・共通費九億五〇〇〇万円、従業員一〇〇人
【全社合計】売上高一〇一億円、変動費六四億二五〇〇万円、事業部固定費二五億円、本社費・共通費九億五〇〇〇万円、純利益二億二五〇〇万円

Q　あなたがPC事業部の事業部長として責任を負うべき利益あるいは損失はいくらでしょうか？　なお、法人税率は五〇％とします。

1. 会社全体の純利益である二億二五〇〇万円
2. PC事業部の純利益である八〇〇〇万円
3. PC事業部の売上高から変動費を差し引いた限界利益である一五億七五〇〇万円
4. PC事業部の売上高から変動費と事業部固定費を差し引いた四億七五〇〇万円
5. PC事業部の純利益に法人税（純利益の五〇％とする）を差し引いた残額である四〇〇〇万円

ANSWER & COMMENTARY

限界利益から事業部固定費を引いた「貢献利益」による評価を実施

A 4

パソコン製造メーカーM社のPC事業部の事例は、分権組織の代表的な組織形態である事業部制における責任会計と業績評価に関する問題です。分権組織において、権限と責任を持たせて業績評価を適切に行い、報酬や昇進などのインセンティブを与えて組織員のモチベーションを向上させるのは非常に重要なことです。

事業部制における各事業部はプロフィットセンターといわれ、コストと収益が集計される部署です。ここでは、管理下にある部署で発生した収益と費用について責任を負います。つまり事例におけるあなたは、PC事業部における利益責任を負っているということです。

管理責任者の業績を測定するためには、各事業部における損益計算書を作成する必要があります。まず、売上高四五億円から変動費二九億二五〇〇万円を差し引いて、限界利益を計算すると、一五億七五〇〇万円になります。次に、この限界利益から事業部固定費一

企業経営の基本

分権組織において権限と責任を持たせる

↓

- 業績評価を適切に行う
- 報酬や昇進などのインセンティブを与える
- 組織員のモチベーションを高める

事業部制における損益計算書（M社）

（単位：百万円）

	PC事業部	半導体事業部	携帯電話事業部	会社合計
売上高	4,500	2,400	3,200	10,100
変動費（△）	2,925	1,900	1,600	6,425
限界利益	1,575	500	1,600	3,675
事業部固定費（△）	1,100	650	750	2,500
貢献利益	475	△150	850	1,175
本社共通費（△）				950
純利益				225

事業部の管理責任者の業績評価基準

一億円を差し引くと四億七五〇〇万円になりますが、これは貢献利益と呼ばれるものです。さらに、貢献利益から本社・共通費配賦額三億九五〇〇万円を差し引いて算出されるのが純利益八〇〇〇万円です。

この中で、あなたが責任を追うべき利益は、貢献利益の四億七五〇〇万円です。なぜなら、PC事業部の事業部長は、その事業部で管理可能な費用までの責任を持てばよいからです。本社・共通費は本社において発生した費用と各部門共通に発生する費用ですので、各事業部長が管理・統制できるものではありません。したがって、それらを差し引く前の貢献利益四億七五〇〇万円が正解となります。

第5章

コーポレートファイナンス

5-1 投資家とは

投資家とは、投資によるさらなる儲けを期待して、クールかつ合理的にお金を動かす人のことをいいます。

投資というのは、株や債券といった金融資産の投資だけを指すのではありません。企業が行う事業投資も、投資であるといえます。よって、企業に属する人間は何らかの形で投資に携わっているといえるでしょう。つまり、本書の読者であるあなたも投資家であり、投資家としての分別を身につけなければならないということです。

ところで現在、あなたの手元に五〇〇〇万円あるとします。そして、これを投資すると、一年後には確実に五二〇〇万円になるという投資案件Aがあったとしましょう。一方で、B銀行に預金するということも考えられるとします。なお、現在のB銀行の預入金利は年利五%（税引後）であり、同銀行が潰れる確率は〇%とします。

Q　この場合、合理的な投資家であるあなたは案件Aに投資をするでしょうか、それともしないでしょうか？　もしくはB銀行に預けるでしょうか？　また、その理由・根拠は何でしょうか？　最も適切な判断と思われるものを次の五つから選んでください。

1．案件Aには投資なんてしない。なぜなら、現在のような時代にはタンス預金をしていたほうがまだ安全であるからだ。
2．案件Aに投資する。なぜなら、この超低金利時代において、少しでも多くの利息がついて戻ってくる可能性があるからだ。
3．案件Aに投資する。なぜなら、現在価値に引き戻しても一年後の価値は五〇二八万円となり、元本割れしないからだ。
4．案件Aには投資せずにB銀行に預ける。なぜなら、利息五％で銀行に預けていれば一年後には五二五〇万円になり、そちらのほうが有利だからだ。
5．案件Aに投資する。なぜなら、投資額五〇〇〇万円と投資後の五二〇〇万円とを比較すると、二〇〇万円のリターンが確実にあるからだ。

ANSWER & COMMENTARY

投資案件の利回り（リターン）が高いほうを選択

A 4

コーポレートファイナンス（企業財務）の目的は、企業価値を向上させることです。企業価値の向上とは、「いかに企業活動を通して多くのリターンを生み出していくか」ということです。つまり、調達した資金を最大に増やすような案件に投資を行うことが肝心なのであり、ただ儲かるからという理由で投資を行ってはいけないことになります。

事例では、五〇〇〇万円の投資に関して二つの案件が提示されています。投資案件AとB銀行預金への投資です。どちらの条件がよいかは利回りを考えればすぐわかります。

投資案件Aの利回り：二〇〇〇万円÷五〇〇〇万円＝四％

銀行預金の利回り：二五〇〇万円÷五〇〇〇万円＝五％

明らかに銀行預金のほうが利回りがよくなっています。当然、投資家であるあなたは銀行預金への投資を選択すべきであるため、選択肢４が正解となります。

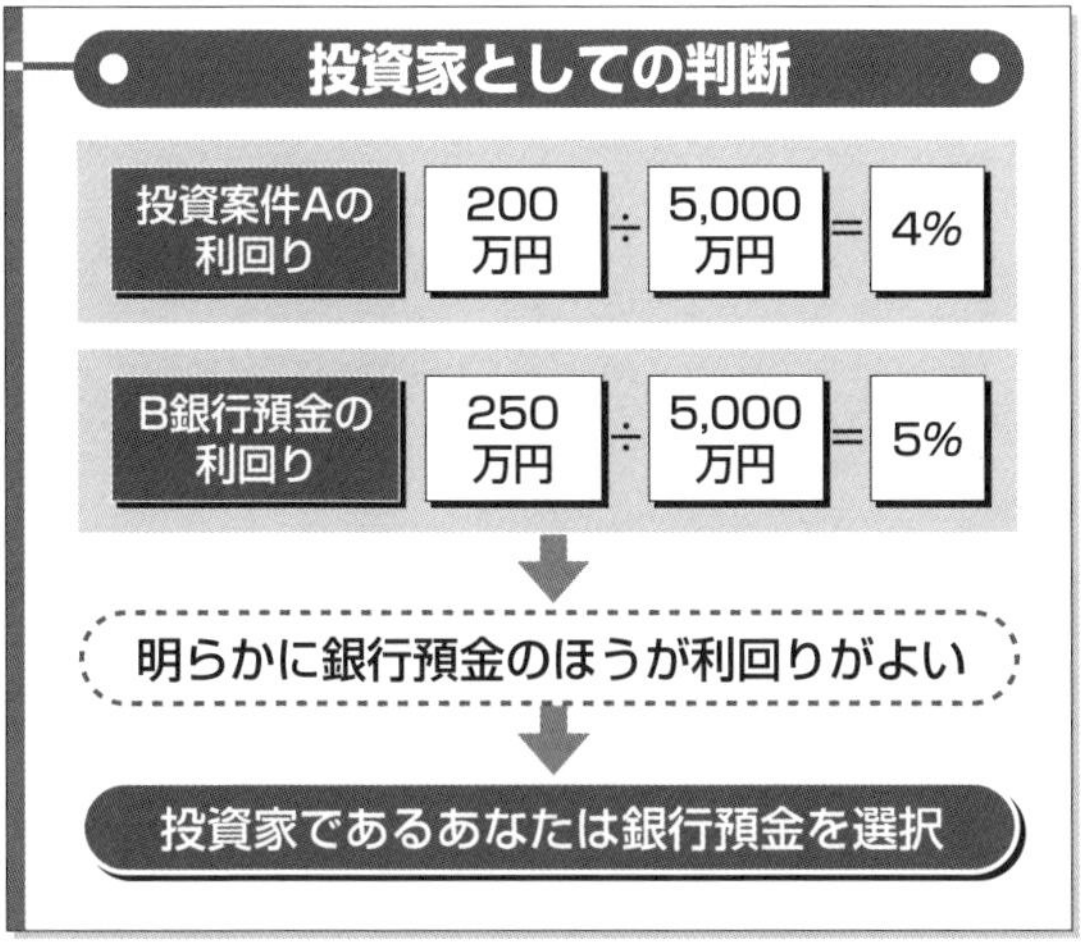
投資家としての判断
投資案件Aの利回り
200万円
÷
5,000万円
=
4%
B銀行預金の利回り
250万円
÷
5,000万円
=
5%
明らかに銀行預金のほうが利回りがよい
投資家であるあなたは銀行預金を選択

選択肢1は、案件Aに投資しないという選択は正しいのですが、根拠にまったくロジック（論理性）がないため妥当ではありません。また、選択肢2は投資選択が不正解で、根拠にもロジックがありません。選択肢3については、五二〇〇万円という将来価値を現在価値に割引く（五二〇〇万円÷一・〇五）と四九五二万円となり、投資額五〇〇〇万円と比較して元本割れしているため、正しくありません。なお、現在価値については後述します。

そして選択肢5も、投資選択については不正解です。また、確かに投資案件Aへの投資は二〇〇万円のリターンはありますが、それよりさらなる儲けがある投資との比較できていないため、妥当ではありません。

5-2 時間の価値

投資家にとって、「現在の一億円」と「将来の一億円」の価値は違います。時間の価値を考慮すると、将来の一億円と現在の一億円とでは、現在の一億円のほうが価値があることがわかるでしょう。

そして、投資家は確実にリターンの見込める投資案件があるにもかかわらず、手元にある資金を眠らせておくことはしません。

では、次のようなケースを考えてみましょう。

現在一億円を投資した場合、一年後には、確実に一億三〇〇〇万円になる投資案件Cがあるとします。

Q **銀行金利が五％（税引後）の場合、一年後に投資案件Cと同額の一億三〇〇〇万円を手にするためには、いくら銀行に預ければよいでしょうか？**

時間の価値

現在の1億円と将来の1億円の価値は違う

↓

現在1億円の投資が、1年後に1億300万円になる投資案件Bがある

↓

では　1年後に1億300万円を手にするためには、金利5%でいくら預ける必要があるか?

1. 一億三〇〇万円÷（一＋〇・〇三）
＝一億円

2. 一億三〇〇万円×（一＋〇・〇三）
＝一億六〇九万円

3. 一億円×（一＋〇・〇五）
＝一億五〇〇万円

4. 一億三〇〇万円×（一＋〇・〇五）
＝一億八一五万円

5. 一億三〇〇万円÷（一＋〇・〇五）
＝九八〇九万五〇〇〇円

利回りがある以上、「現在の一億円」と「一年後の一億円」の価値は違う

ANSWER & COMMENTARY

A 5

銀行金利が五％のときに、一年後に一億三〇〇万円を手にするためにはいくら銀行に預ければよいかについては、一億三〇〇万円÷（一＋〇・〇五）という計算式で求められ、答えは九八〇九万五〇〇〇円となります。つまり、時間の価値を考慮すれば、「現在の九八〇九万五〇〇〇円」と「将来の一億三〇〇万円」は同じ価値を持つといえるのです。

このケースにおける九八〇九万五〇〇〇円は、「一年後における一億三〇〇万円の**現在価値**（**Present Value：PV**）」といいます。一方、一億三〇〇万円のことを、「現在の九八〇九万五〇〇〇円の一年後における**将来価値**（**Future Value：FV**）」といいます。また、将来価値を現在の時点の換算価値である現在価値に戻すことを「割引く」といいます。そして、事例の金利のように、将来価値と現在価値を換算するときに使う利率のことを**割引率**（Discount Rate）といいます。現在価値、将来価値、割引率については、次項以降でも頻

時間の価値

1年後に1億300万円を手にするためには、
金利5%でいくら預ける必要があるか

預け入れる額をxとすると

$(1+0.05)x=103,000,000$円

$x=103,000,000$円$\div 1.05$

$\fallingdotseq 98,095,000$円＝1年後の1億300万円の現在価値

1億300万円＝ 現在の98,095,000円の
1年後の将来価値

現在価値×（1＋割引率）＝将来価値 (Future Value:FV)
将来価値÷（1＋割引率）＝現在価値 (Present Value:PV)

繁に出てくる重要な概念なので覚えておいてください。

では、現在価値、将来価値、割引率の関係について説明しましょう。

現在価値に「一＋割引率」を掛けると、将来価値が求められます。また、将来価値を「一＋割引率」で割ると現在価値を求めることができます。これに事例の数値をあてはめると次のようになります。

現在価値九八〇九万五〇〇〇円×（一＋〇・〇五）＝将来価値一億三〇〇万円

将来価値一億三〇〇万円÷（一＋〇・〇五）＝現在価値九八〇九万五〇〇〇円

よって、選択肢5が正解となります。

5-3 単利と複利

前二つの事例では一年間という投資期間について考えてきましたが、通常、投資は一年間で完結するものは少なく、複数年にわたることがほとんどです。

複数年の利回りを示すには、単利と複利という二種類の計算方法があります。そして、複数年での投資を検討する場合は、毎年累計された額についての利回りが検討されることになるため、複利計算を採用する必要があります。そこで、次の問題を解くことにより、二つの計算方法の違いを理解しましょう。

Q 銀行の預金金利が六％（税引後）で、一億円を銀行に五年間預け入れた場合、五年後にはいくらになって戻ってくるでしょうか。単利計算による金額と複利計算による金額の両方を算出し、正しいものを次の五つの中から選んでください。

1．単利計算一億六〇〇〇万円、複利計算一億六〇〇〇万円

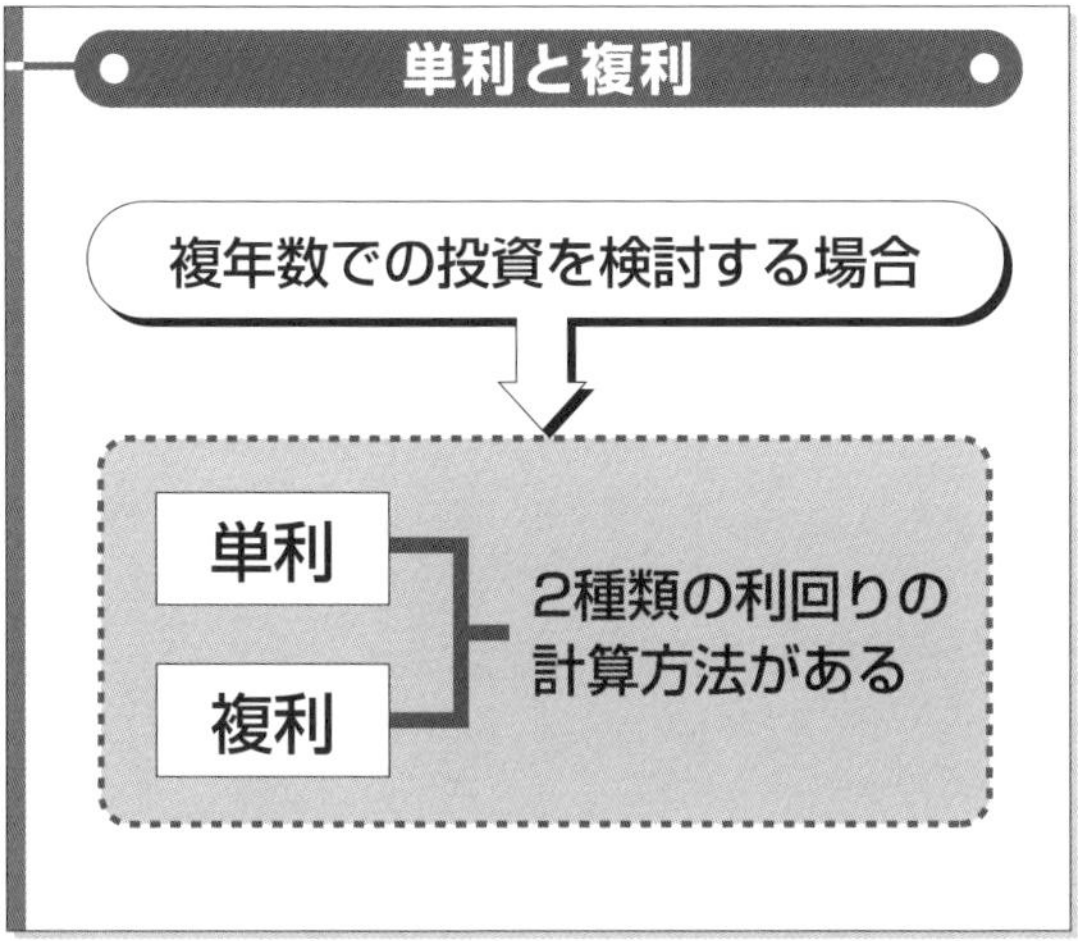
単利と複利
複年数での投資を検討する場合
単利
複利
2種類の利回りの
計算方法がある

2.単利計算一億三〇〇〇万円、複利計算一億三三八二万円

3.単利計算一億三〇〇〇万円、複利計算一億六〇〇〇万円

4.単利計算一億六〇〇〇万円、複利計算一億三三八二万円

5.単利計算一億三〇〇〇万円、複利計算一億二七六二万円

ANSWER & COMMENTARY

時間の価値を考える＝「複利計算」で考える

A　2

単利計算と複利計算では金額は異なってきます。

単利の場合は非常に単純で、一億円の六％が利息として毎年受け取れます。したがって、受取利息は一億円×六％×五年＝三〇〇〇万円となります。また、五年後の受け取り額は一億円＋三〇〇〇万円で一億三〇〇〇万円となります。よって、選択肢1と4は金額が間違っていることがわかります。一方、複利計算の場合は、利息が利息を呼ぶことになります。わかりやすく一年ずつに分けて受取利息を計算してみましょう。

一年後：一億円×〇・〇六＝六〇〇万円
二年後：六〇〇〇万円×（一＋〇・〇六）＝六三六万円
三年後：六三六万円×（一＋〇・〇六）＝六七四・二万円
四年後：六七四・二万円×（一＋〇・〇六）＝七一四・七万円

単利と複利

1億円を年率6%で運用するときの
5年間の利息を見てみると

単利の場合		1億円×0.06×5年=3000万円
複利の場合	1年後	1億円×0.06=600万円
	2年後	600万円×1.06=636万円
	3年後	636万円×1.06=674.2万円
	4年後	674.2万円×1.06=714.7万円
	5年後	714.7万円×1.06=757.5万円
	合計=600万円+636万円+674.2万円+714.7万円+757.5万円=3382万円	

五年後：七一四・七万円×（一＋〇・〇六）＝七五七・五万円

　これらの式を見ればわかるように、利息に対してまた利息がつくことになります。そして、五年間の受取利息額を合計すると、六〇〇万円＋六三六万円＋六七四・二万円＋七一四・七万円＋七五七・五万円＝三三八二万円となります。よって、五年後の受け取り額は一億円＋三三八二万円＝一億三三八二万円となり、選択肢2が正しいことがわかります。

　なお、単利と複利の将来受け取り額を算式で表すと、単利は「預金額＋預金額×金利×年数」、複利は「預金額×（一＋金利）^{年数}」となります。

5-4 投資の決定を将来価値・現在価値・収益率で考える

あなたはボトル製造メーカーMの財務部に勤務しており、財務部長から余剰資金の投資について任されています。ところで、現在三〇億円の投資を行うと、五年後には確実に三八億円になって戻ってくる投資案件Dがあります。

Q **銀行金利が六％（税引後）の場合、あなたの当該投資案件への投資に関する意思決定は、次の三つの選択肢のうちどれになるでしょうか。①将来価値による方法、②現在価値による方法、③収益率による方法の三つによって判断してください。なお、この案件の他には適当な投資案件がなかったものとします。**

1．

①銀行に預け入れた場合、五年後に受け取る金額は三九億円となるため、投資するべきではない。

②銀行金利六％を割引率として、五年後の将来価値である三八億円の現在価値を求めると二九億円となるため、投資すべきである。
③投資案件Dの収益率は二六％となるため、投資すべきである。

2．
①銀行に預け入れた場合、五年後に受け取る金額は四〇・一億円となるため、投資すべきではない
②銀行金利六％を割引率として投資案件Dの五年後の将来価値である三八億円の現在価値を求めると二八・四億円となるため、投資すべきではない。
③投資案件Dの収益率は四・八四％となるため、投資すべきでない。

3．
①銀行に預け入れた場合、五年後に受け取る金額は四〇・一億円となるため、投資すべきである。
②銀行金利六％を割引率として投資案件Dの五年後の将来価値である三八億円の現在価値を求めると二八・四億円となるため、投資すべきである。
③投資案件Dの収益率は四・八四％となるため、投資すべきである。

リターンの考え方には三つある

A 2

既にお気づきの方もいらっしゃるでしょうが、将来価値、現在価値、収益率のどれをとっても意思決定の答え（投資するか否か）は同じになります。なぜなら、この三者は**現在価値×（一＋収益率）^{年数}＝将来価値**という関係にあるからです。

①将来価値を使った投資判断…三〇億円を銀行に預け入れた場合、五年後に受け取ることができる金額は、30億円×$(1+0.06)^5$で四〇億一四六八万円となります。投資案件Dへの投資によって得られる三八億円より多いため、投資すべきではないという判断が下せることになります。

②現在価値を使った投資判断…投資案件Dについて銀行金利六％を割引率として用いて、五年後の将来価値である三八億円の現在価値を求めると、38億円÷$(1+0.06)^5$で二八億三九五八万円となります。これは、銀行に預けて五年後に三八億円を受け取るためには二

投資の決定

将来価値
30億円×$(1+0.06)^5$=40億1468万円＞38億円 であるから投資すべきでない

現在価値
38億円÷$(1+0.06)^5$=28億3958万円＜30億円 であるから投資すべきでない

収益率
30億円×$(1+r)^5$=38億円 r=4.84%＜6%であるから投資すべきでない

八億三九五八万円が必要になることを示しています。つまり、三〇億円の投資で三八億円を受け取ることができる投資案件Dより、銀行に預け入れたほうが魅力的だということです。よって、投資すべきでないという判断を下すことができます。

③収益率を使った投資判断…投資案件Dの収益率をrとして算式にあてはめると、30億円×$(1+r)^5$で三八億円となります。この方程式を解くと、収益率rは四・八四%となります。この収益率は銀行金利の六%を下回るため、投資すべきでないという判断が下せることになります。

以上により、正解は選択肢2となります。

5-5 NPV（正味現在価値）法による投資の意思決定

　ある新規事業が立ち上げられようとしています。あなたはこの事業のマーケティングマネジャーであり、新規事業を行うべきか否かの選択を迫られています。

【新規事業案件の内容】

　投資額は、初年度に一〇〇億円かかる。売上高は、毎年二〇〇億円が四年にわたり獲得できる（ただし、お金は各年度末に支払われる）。費用を差し引いたキャッシュは、毎年三〇億円が四年にわたり獲得できる。また、この会社が事業に対して期待する収益率は、年率で二〇％である。

Q　このような案件である場合、あなたの新規事業に関する投資判断は、次のうちどれになるでしょうか？

1．売上高が八〇〇億円も獲得できるから、投資するべきである

NPV法による投資の意思決定の事例

新規事業案件

投　資　額	…初年度100億円
獲得売上	…4年にわたり毎年200億円
獲得キャッシュフロー	…4年にわたり毎年30億円
期待収益率	…20%（年率）

投資は
- ◎ 実行すべき
- × 実行せず

どちらか？

2．キャッシュが四年間で一二〇億円獲得でき、それは投資額の一〇〇億円を上回るため、投資するべきである。

3．キャッシュが四年間で一二〇億円獲得でき、投資額一〇〇億円を差し引くと正味の儲けが二〇億円になる。したがって、この投資における収益率は「儲け二〇億円÷投資額一〇〇億円＝二〇％」となり、会社の基準を満たしているため、投資するべきである。

4．将来におけるキャッシュの獲得は時間の価値を考慮に入れる必要がある。四年にわたり獲得できるキャッシュを現在価値で表すと、一〇〇億円を下回り、元本割れとなる。したがって投資するべきではない。

正味現在価値がゼロ以上であれば投資

A 4

この事例は、**正味現在価値（NPV：Net Present Value）法**による投資の評価の理解を問うものです。正味現在価値法は投資の評価において最も代表的な評価手法であり、将来のキャッシュフロー（フリーキャッシュフロー）の現在価値から投資額を差し引いたものをいいます。これを算式に表すと、**正味現在価値（NPV）＝将来キャッシュフローの現在価値－投資額**となります。

では、問題について考えてみましょう。

獲得キャッシュフローは毎年三〇億円、期待収益率は年二〇％ですから、

一年目のキャッシュフローの現在価値：30億円$\div(1+0.2)=25$億円

二年目のキャッシュフローの現在価値：30億円$\div(1+0.2)^2=20.83$億円

三年目のキャッシュフローの現在価値：30億円$\div(1+0.2)^3=17.36$億円

NPV法による投資の意思決定

NPV法（正味現在価値法） ⇨ 将来キャッシュフローの現在価値－投資額

↓

$$NPV=F_cF_0+\frac{F_cF_1}{(1+r)}+\frac{F_cF_2}{(1+r)^2}+\frac{F_cF_3}{(1+r)^3}\cdots\frac{F_cF_n}{(1+r)^n}$$

↓

$$=-100億円+\frac{30億円}{(1+0.2)}+\frac{30億円}{(1+0.2)^2}+\frac{30億円}{(1+0.2)^3}+\frac{30億円}{(1+0.2)^4}=-22.34億円$$

↓

結論：NPV<0であるため投資すべきではない

四年目のキャッシュフローの現在価値：30億円÷$(1＋0.2)^4$＝14.47億円

となり、

将来キャッシュフローの現在価値：二五億円＋二〇・八三億円＋一七・三六億円＋一四・四七億円＝七七・六六億円

初年度の投資額は一〇〇億円ですから、

正味現在価値（ＮＰＶ）：投資額マイナス一〇〇億円－将来キャッシュフローの現在価値七七・六六億円＝マイナス二二・三四億円

となります。

ＮＰＶ<0であるため投資は行うべきではないという結論になり、選択肢4が正しい答えとなります。

なお、計算式は図のようになります。

5-6 キャッシュフローの計算

前項の正味現在価値の事例は、数値が全部与えられたうえで投資の評価を行いましたが、実際には、キャッシュフローや割引率（期待収益率＝資本コスト）を自ら計算して意思決定を行う必要があります。では、まずキャッシュフローの計算の仕方から説明しましょう。

次の資料を見てください。

【予測年度（二年分）の損益予測】

○年度：投資額一億四〇〇〇万円

一年度：売上一億円、支払利息七〇〇万円、減価償却費一〇〇〇万円、その他費用三〇〇〇万円、運転資本需要の増加七〇〇万円

二年度：売上一億七〇〇〇万円、支払利息六〇〇万円、減価償却費七〇〇万円、その他費用四〇〇〇万円、運転資本需要の増加八五〇万円

予測年度以降のキャッシュフローの予測については、二年度のキャッシュフローが永久

的に継続するものとします。なお、法人税率は五〇％、割引率は一〇％とします。

Q　以上の資料に基づき、キャッシュフローの現在価値を計算してください。

1. ○年度：マイナス一億四〇〇〇万円、一年度：三〇〇〇万円、二年度：四九五八万円、予測年度以降：四億九五八七万円
2. ○年度：マイナス一億四〇〇〇万円、一年度：三〇〇〇万円、二年度：四九五八万円、予測年度以降：五億四五四五万円
3. ○年度：マイナス一億四〇〇〇万円、一年度：二九五〇万円、二年度：五〇〇〇万円、予測年度以降：六億円
4. ○年度：マイナス一億四〇〇〇万円、一年度：三三〇〇万円、二年度：六〇〇〇万円、予測年度以降：四億九五八七万円
5. ○年度：マイナス一億四〇〇〇万円、一年度：二六八一万円、二年度：四一三二万円、予測年度以降：六億円

A 1 永続価値の現在価値はキャッシュフロー÷割引率で計算

財務諸表からキャッシュフロー（CF）を算出するための式は、**営業利益×（一－法人税率）＋減価償却費－運転資本の変化－設備投資額**となります。

利益の金額には営業利益を使用します。これは支払利息が資本コストであることから、支払利息を反映する前段階の利益を使用するためです。支払利息という費用は、割引率を用いた現在価値換算の箇所で既に反映されているため、計算には入れません。

事例をこの算式にあてはめると、将来キャッシュフローは一年度：三三〇〇万円、二年度：六〇〇〇万円となります。そしてこれを一〇％の割引率で割引くと、一年度：三〇〇〇万円、二年度：四九五八万六〇〇〇円となります。

期ごとの将来のキャッシュフローを永遠に予想し続けていたのでは、実務的に大変非効率です。したがって、実務的には一〇年（または五年）を予想し、その後は永久的にキャッ

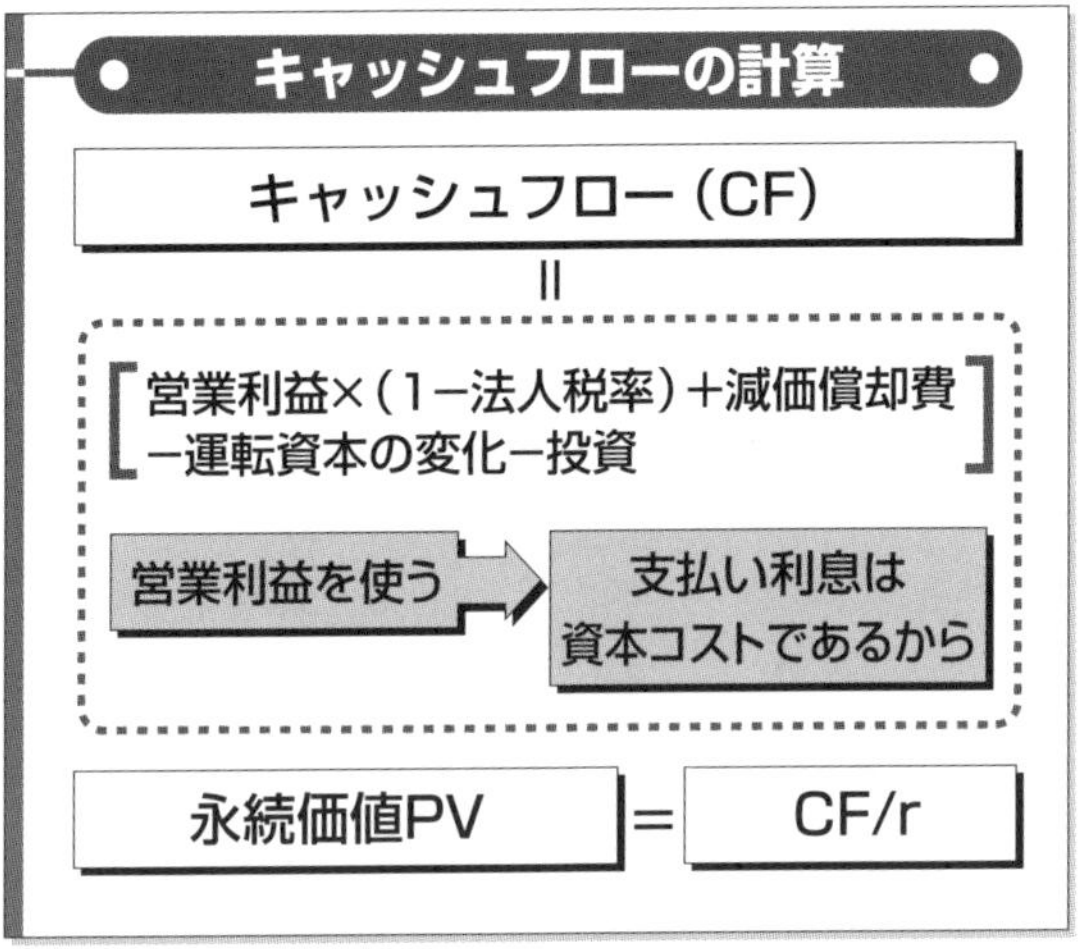
キャッシュフローの計算
キャッシュフロー（CF）
＝
営業利益×（1−法人税率）＋減価償却費
−運転資本の変化−投資
営業利益を使う
支払い利息は
資本コストであるから
永続価値PV
＝
CF/r

シュフローが継続するものとして将来キャッシュフローを算出するのが一般的です。これを**永続価値**といい、**PV（現在価値）＝CF÷割引率**という式で表すことができます。計算すると、PV＝CF六〇〇〇万円÷割引率一〇％＝六億円となります。そして六億円を現在価値に割引くと、6億円÷$(1+0.1)^2$で四億九五八七万円となります。

また、永続価値の応用として**成長永続価値**があります。これはキャッシュフローの割合が一定の割合で成長していくというもので、**PV＝CF÷（割引率−成長率）**という式で計算できます。

詳しくは、『通勤大学MBA5　コーポレートファイナンス』をご参照ください。

5-7 株主資本コスト

キャッシュフローの計算の仕方については前項で述べましたが、次に割引率の計算方法について説明しましょう。

割引率とは、将来のキャッシュフローを現在価値に戻す際に使用するものであり、投資を受け入れる企業側の資本コストを指します。つまり、資本コストとは資金調達コストのことであり、裏返せば、「資金提供者が期待する収益率（期待収益率）」ということになります。

資本コストは、資金の調達源泉の違いによって二種類に分けられます。間接金融での調達による「負債コスト」と、直接金融による資金調達コストである「株主資本コスト」です。そして最終的には、この二つの資本コストの加重平均をもって個別企業の資本コストを計算します。これについては後述しますので、ここでは、まず直接金融である株主資本コストの計算に関する問題を解いてみましょう。

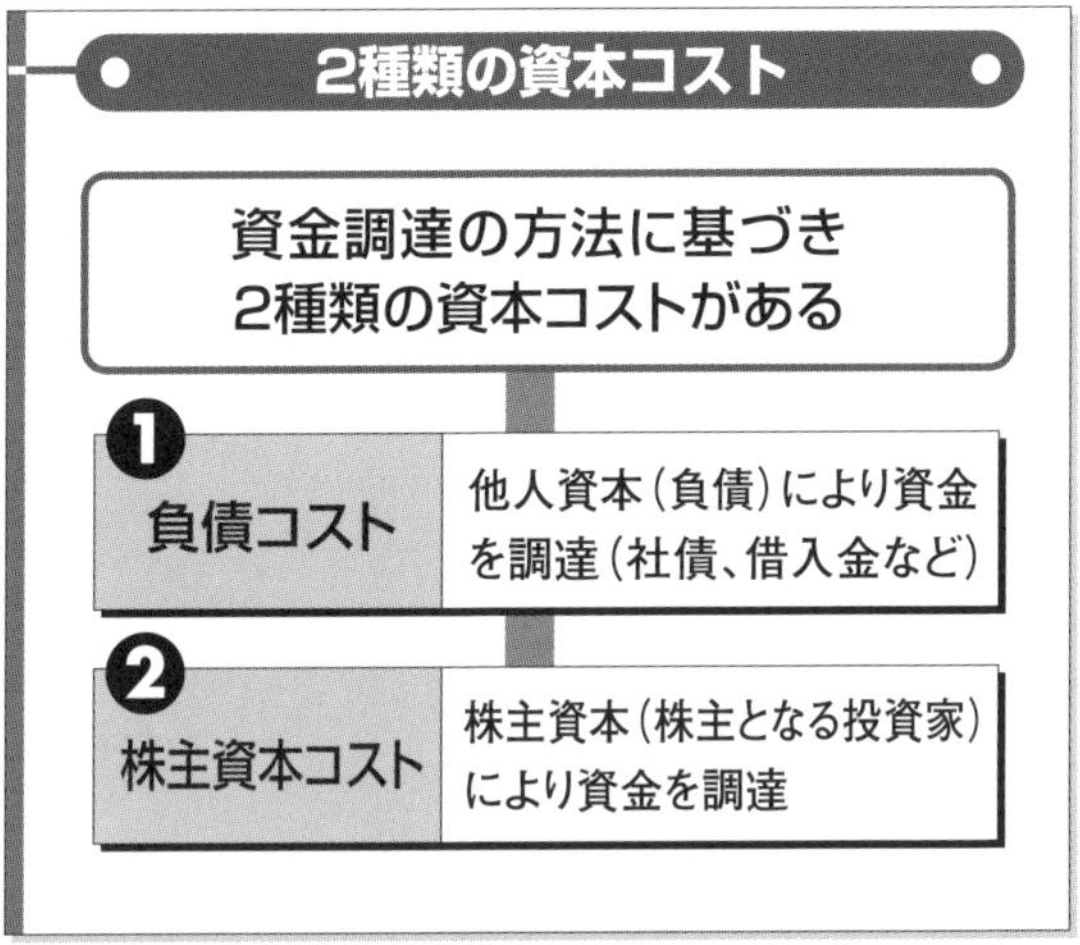
2種類の資本コスト
資金調達の方法に基づき
2種類の資本コストがある
1 負債コスト
他人資本（負債）により資金を調達（社債、借入金など）
2 株主資本コスト
株主資本（株主となる投資家）により資金を調達

次のような資料があるとします。

無リスク金利（一〇年もの国債）：一・八％
β（ベータ）：一・三
株式市場プレミアム：六％

Q　資料に基づき、資本資産評価モデルによって株主資本コストを計算した数値は、次の五つのうちのどれになるでしょうか？

1．七・八％
2．八・三四％
3．九・六％
4．三・一％
5．一四・〇四％

ANSWER & COMMENTARY

株主資本コストの算出は資本資産評価モデルで

A 3

個別の企業における株主資本コストを算定するための代表的な方法は**資本資産評価モデル（Capital Asset Pricing Model：ＣＡＰＭ）**といい、**株主資本コスト＝無リスク金利＋β（ベータ）×株式市場プレミアム**という算式で表されます。

無リスク金利とは、支払いが確実で、リスクが限りなくゼロに近い国債（一般に一〇年もの国債）の利回りのことです。

また**株式市場プレミアム**は、株式市場自体が国債よりどれだけ高い利回りを提供できるかを表します。数値は過去の株式市場が国債よりもどれだけ高い利回りを達成できたかという実績データを使用します。株主は過去の実績と同程度の利回りを要求するというのが前提になっており、具体的には、「市場の収益率－無リスク金利」という計算式により、株式市場プレミアムを計算します。一般的には二〇～三〇年単位での平均株価の上昇率が採

CAPMによる株主資本コストの算出

株主資本コスト＝無リスク金利＋β（ベータ）×株式市場プレミアム
＝1.8%＋1.3×6%
＝9.6%

資本資産評価モデル（CAPM）のポイント

❶ 無リスク金利	リスクが限りなくゼロに近い国債（一般には 10 年もの国債）
❷ 株式市場プレミアム	株式市場が国債よりどれほど高い利回りを提供できるか（市場の収益率ー無リスク金利）
❸ リスク指標「ベータ（β）」	個別企業のリスクと株式市場全体のリスクとの相関を表す

用され、日本における実績値は五〜六%といわれています。

　そしてβ（ベータ）は、個別の会社のリスクが株式全体のリスクより高いか低いかを表しています。値が一であれば株式市場と同じリスクであり、一より大きければリスクが高く、一より小さければリスクが低いといえます。このベータと株式市場プレミアムを掛け合わせて、個別株式のリスクプレミアムを算出します。

　事例の数値を式にあてはめて計算すると、「株主資本コスト＝無リスク金利一・八%＋β一・三×株式市場プレミアム六%＝九・六%」となります。よって、選択肢3が正解となります。

5-8 加重平均資本コスト

　前項では、二つの資本コストのうち株主資本コストについて述べましたが、ここではもう一つの資本コストである負債コストを含めて、全体の資本コストを計算してみましょう。全体の資本コストは、負債コストと株主資本コストの加重平均になります。

　次の事例を見てください。

負債の利子率：三・四％
法人税率：五〇％
無リスク金利（一〇年もの国債）：二・五％
β（ベータ）：三・八
株式市場プレミアム：六・八％
株式時価総額：六〇〇〇万円
負債総額：二〇〇〇万円

Q　以上の資料に基づいて資本コストを計算してください。ただし、株主資本コストについては資本資産評価モデル（CAPM）によって計算してください。その結果として正しいものは、次のうちどれでしょうか？

1．一五・〇二％
2．二一・六八％
3．二二・一〇五％
4．一一・〇五二五％
5．四五・〇％

株主資本コストと負債コストを合わせた全体の資本コストは加重平均で

A　2

負債コストの計算、株主資本コストの計算、加重平均資本コストの順で計算していきましょう。

負債コストとは負債の利子率のことですが、利子が税金の計算上損金になるためその節税分を資本コストの計算上加味します。算式は、**負債コスト＝負債の利子率×（一－法人税率）**となります。問題では、負債利子率三・四％×（一－〇・五）＝一・七％となります。

また**株主資本コスト**は、資本資産評価モデルの算式「**株主資本コスト＝無リスク金利＋β（ベータ）×株式市場プレミアム**」にあてはめて計算します。株主資本コスト＝無リスク金利二・五％＋β二・八×株式市場プレミアム六・八％＝二一八・三四％となります。

いよいよ二つの資本コストの**加重平均資本コスト（ＷＡＣＣ：Weighted Average Cost of Capital＝ワック）**を計算します。加重平均資本コストとは資本コストを示す数値あるい

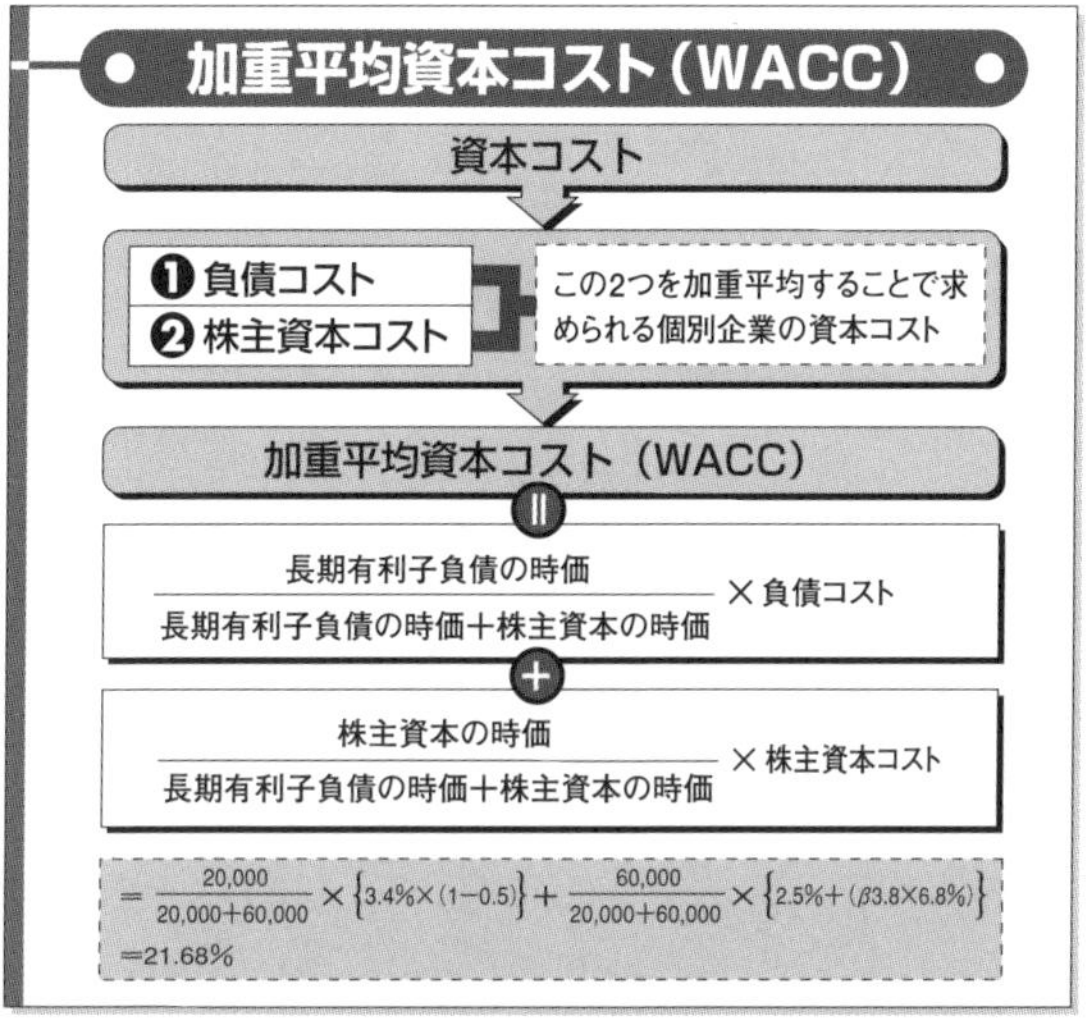

はその算出方法のことで、自己資本（株主資本）を調達するためにかかるコストと負債を調達するためにかかるコストの加重平均をいいます。投資の意思決定や企業評価を行う際の手法である割引現在価値法における資本コストも、WACCが使用されます。算式は次のとおりです。

〔長期有利子負債の時価÷（長期有利子負債の時価＋株主資本の時価）×負債コスト〕＋〔株主資本の時価÷（長期有利子負債の時価＋株主資本の時価）×株主資本コスト〕

問題の資本コストを計算すると、図表のように二一・六八%となります。よって選択肢2が正解となります。

5-9 企業価値の算出

第5章の総括として、企業評価の事例を挙げましょう。

M社は設立三年目のバイオベンチャー企業です。ゲノム開発が進み、新たな研究開発への投資額も増えますが、三年目で大規模な投資は完結し、営業利益も最終的には緩やかな上昇傾向を見込んでいます。CFOであるT氏は、今後五年間のキャッシュフローを次のように予測しました。

【キャッシュフローの予測（予測期間五年、法人税率四〇%）】（単位：万円）

一年度：営業利益三〇〇〇、減価償却費五〇〇、運転資本需要の増加一〇〇、投資額二〇〇〇

二年度：営業利益四〇〇〇、減価償却費五〇〇、運転資本需要の増加二五〇、投資額二二〇〇

三年度：営業利益四五〇〇、減価償却費四四〇、運転資本需要の増加五〇〇、投資額二五〇〇

四年度：営業利益五二〇〇、減価償却費四〇〇、運転資本需要の増加七〇〇、投資額五〇〇
五年度：営業利益七二〇〇、減価償却費四三〇、運転資本需要の増加九〇〇、投資額五〇〇

【資本コスト算定のためのデータ】
負債の利子率二・五％、無リスク金利一・五％、株式市場の期待収益率五・八％
β（ベータ）二・二、株式時価総額二億四〇〇〇万円、負債総額六〇〇〇万円

【その他のデータ】
予測期間以降のフリーキャッシュフローの成長率：五％で一定であると仮定
発行済株式数五〇〇〇株、遊休土地一〇〇〇万円、金融資産二〇〇〇万円

Q　これらのデータを基に企業価値と株価を求めると、次のどれになるでしょうか？

1．企業価値九億三八四四万円、株価一八万三三〇〇円
2．企業価値七億二四四〇万円、株価四万二三三三円
3．企業価値九億三八四四万円、株価一九万五四二三円
4．企業価値五億五八五四万円、株価一七万五六八八円
5．企業価値六億一八五四万円、株価一一万一七〇八円

ANSWER & COMMENTARY

キャッシュフローの現在価値算出はディスカウントキャッシュフロー法で①

A　5

企業価値とは、企業が生み出すフリーキャッシュフロー（ＦＣＦ）の現在価値であるといえます。

企業が将来出すであろうキャッシュフローを割引計算（ディスカウント）し、それに基づいて企業価値を算出するというこの方法は、**ディスカウントキャッシュフロー（ＤＣＦ）法**といわれています。では、具体的に順を追って計算していきましょう。①ＦＣＦの予測→②資本構成の計算→③資本コスト（加重平均資本コスト＝ＷＡＣＣ）の計算→④継続価値の計算→⑤金融資産、遊休土地の時価を加算→⑥企業価値、株式価値の計算の順です。

①予測期間（五年）のＦＣＦの予測

ＦＣＦの予測を財務諸表から導き出すには、算式「**営業利益×（1－法人税率）＋減価償却費－運転資本の変化－投資**」にあてはめて計算します。

企業価値の算出①

計算順序

1. FCFの予測
2. 資本構成の計算
3. 資本コスト（加重平均資本コスト=WACC）の計算
4. 継続価値の計算
5. 金融資産、遊休土地の時価を加算
6. 企業価値、株式価値

一年度は、営業利益三〇〇〇万円×（一－法人税率四〇%）＋減価償却費五〇〇万円－運転資本需要の増加一〇〇万円－投資額二〇〇〇万円＝二〇〇〇万円となります。同様に計算すると、二年度：四五〇万円、三年度：一四〇〇万円、四年度：二三二〇万円、五年度：三三五〇万円となります。よって予測期間のFCFの合計は、二〇〇＋四五〇＋一四〇＋二三二〇＋三三五〇で六四六〇万円となります。

予測期間以降のFCFは、継続価値の計算式「継続価値＝予測期間の翌年のFCF÷（加重平均資本コスト－FCFの成長率）」で計算することができます。しかし、計算式の加重平均資本コストはまだ算出できていません。継続価値に関しては後ほど計算します。

キャッシュフローの現在価値算出はディスカウントキャッシュフロー法で②

②資本構成の計算

次に、資本構成を計算するため、負債と株主資本の時価を求め、資本全体に対する負債の比率と株主資本の比率を求めます。

［負債比率］負債時価六〇〇〇万円÷（負債時価六〇〇〇万円＋株式時価総額二億四〇〇〇万円）＝二〇％

［株主資本比率］株式時価総額二億四〇〇〇万円÷（負債時価六〇〇〇万円＋株式時価総額二億四〇〇〇万円）＝八〇％

③資本コスト（加重平均資本コスト＝ＷＡＣＣ）の計算

t＝法人税率、r_d＝負債利子率、r_e＝無リスク金利＋β（株式市場の期待収益率－無リスク金利）とすると、計算式は次のようになります。

$$\text{加重平均資本コスト(WACC)} = \frac{\text{負債}}{\text{負債+株主資本}} \times r_d \times (1 - t) + \frac{\text{株主資本}}{\text{負債+株主資本}} \times r_e$$

企業価値の算出②

❶ FCFの予測（1～5年目）

1年度 200万円 ＋ 2年度 450万円 ＋ 3年度 140万円 ＋ 4年度 2320万円 ＋ 5年度 3350万円 ＝ 6460万円

❷ 資本構成の計算

● 負債比率
負債時価6000万円÷（負債時価6000万円＋株式時価総額2億4000万円）＝20%

● 株主資本比率
株式時価総額2億4000万円÷（負債時価6000万円＋株式時価総額2億4000万円）＝80%

❸ 資本コスト（加重平均資本コスト）の計算

● 負債コスト ＝負債利子率2.5%×（1－法人税法40%）＝1.5%

● 株主資本コスト ＝無リスク金利1.5%＋β2.2×（株式市場の期待収益率5.8%－無リスク金利1.5%）＝10.96%

● 加重平均資本コスト ＝1.5%×負債比率20%＋10.96%×株主資本比率80%＝9.068%

「負債コスト」負債利子率二・五%×（一－法人税法四〇%）＝一・五%

また株主資本コストは、無リスク金利一・五%、株式市場の期待収益率五・八%、β（ベータ）二・二、というデータから、次のように計算できます。

「株主資本コスト」無リスク金利一・五%＋β二・二×（株式市場の期待収益率五・八%－無リスク金利一・五%）＝一〇・九六%

最後に加重平均資本コストを計算します。

「加重平均資本コスト」一・五%×負債比率二〇%＋一〇・九六%×株主資本比率八〇%＝九・〇六八%

キャッシュフローの現在価値算出はディスカウントキャッシュフロー法で③

④継続価値の計算

加重平均資本コストが計算できたので、予測期間以降のFCFを継続価値の計算式「**予測期間の翌年のFCF÷（加重平均資本コスト－FCFの成長率）**」で計算しましょう（FCFのキャッシュフローの成長率は五％）。

［継続価値］予測期間の翌年のFCF三三五〇万円×一・〇五÷（加重平均資本コスト九・〇六八％－FCFの成長率五％）＝八億六四六八万円

そして継続価値を現在価値に換算すると、8億6468万円÷（1＋0.09068）^{5}で五億四四七八万円となります。

⑤金融資産、遊休土地の時価を加算

企業は、さまざまな資産を使用して事業からキャッシュフローを獲得します。しかし、事業に利用されてない余裕資金からの金融資産や遊休土地などを保有している場合があるため、計算した事業資産の価値（FCFの現在価値）にそれを加算する必要があります。

企業価値の算出③

❹ 継続価値の計算

継続価値 ＝予測期間翌年のFCF 3350万円×1.05÷加重平均資本コスト 9.068%－FCFの成長率 5%
＝8億6468万円

継続価値を現在価値に割り引いて8億6468万円÷$(1+0.0968)^5$＝5億4478万円

❺ 金融資産・遊休土地の時価加算

企業価値 ＝FCFの現在価値（事業資産の価値）＋金融資産 2000万円＋遊休土地時価 1000万円

その場合は次のようになります。

［企業価値］ＦＣＦの現在価値＋金融資産二〇〇〇万円＋遊休土地時価一〇〇〇万円

⑥企業価値、株式価値の計算

予測期間のＦＣＦ現在価値、継続価値の現在価値、金融資産、遊休土地の時価が算出済みなので、企業価値を計算式「**予測期間のＦＣＦの現在価値＋継続価値の現在価値＋金融資産＋遊休土地の時価**」にあてはめて計算します。

また、株式価値を算出するには、全体の企業価値から負債の価値を差し引けば求められます（**株式価値＝企業価値－負債価値**）。そして、その金額を発行済み株式総数で割れば、一株あたりの株価を求めることができます。

キャッシュフローの現在価値算出はディスカウントキャッシュフロー法で④

すべてのデータが出そろったので、いよいよ企業価値および株価を算出しましょう。

予測期間のフリーキャッシュフローの現在価値：四三七六万円

$$\left(\frac{200}{1.09068}+\frac{450}{1.09068^2}+\frac{140}{1.09068^3}+\frac{2320}{1.09068^4}+\frac{3350}{1.09068^5}=4376\right)$$

継続価値：五億四四七万円

金融資産：二〇〇〇万円

遊休土地：一〇〇〇万円

これらを用いて、いよいよ企業価値および株価を算出しましょう。

まずは、企業価値を計算する式にあてはめます。

企業価値＝予測期間のＦＣＦの現在価値＋継続価値の現在価値＋金融資産＋遊休土地

＝四三七六万円＋五億四四七八万円＋二〇〇〇万円＋一〇〇〇万円

＝六億一八五四万円

企業価値の算出④

❻ 企業価値・株式価値の計算

企業価値＝予測期間のFCFの現在価値＋継続価値の現在価値＋金融資産＋遊休土地
＝4376万円＋5億4478万円＋2000万円＋1000万円
＝6億1854万円

株式価値＝企業価値－負債価値
＝6億1854万円－6000万円＝5億5854万円

1株あたり株価＝株式価値÷発行済株式数
＝5億5854万円÷5000株＝11万1708円

また、株式の価値は「企業価値－負債価値」という式で求められるため、次のようになります。

株式価値＝企業価値－負債価値
＝六億一八五四万円－六〇〇〇万円
＝五億五八五四万円

そして、一株あたりの株価は、「株式価値÷発行済み株式数」という式で求められます。

一株あたり株価＝株式価値÷発行済み株式数
＝五億五八五四万円÷五〇〇〇株
＝一一万一七〇八円

よって、選択肢5が正しい答えとなります。

■参考文献一覧

『戦略立案ハンドブック』 D.A. アーカー著(東洋経済新報社)

『企業分析入門』 K.G. パレプ／V.L. バーナード／P.M. ヒーリー著(東京大学出版会)

『競争優位の戦略』 M.E. ポーター著(ダイヤモンド社)

『新訂　競争の戦略』 M.E. ポーター著(ダイヤモンド社)

『ハーバードで教える人材戦略』 M. ビアー／B. スペクター他著(生産性出版)

『ハーバードで教える組織戦略』 M. ビアー／B. スペクター他著(生産性出版)

『戦略経営論』 ガース・サローナー／アンドレア・シェパード／ジョエル・ポドルニー著／石倉洋子訳(東洋経済新報社)

『通勤大学ＭＢＡ１　マネジメント』

『通勤大学ＭＢＡ２　マーケティング』

『通勤大学ＭＢＡ４　アカウンティング』

『通勤大学ＭＢＡ５　コーポレートファイナンス』

『通勤大学ＭＢＡ６　ヒューマンリソース』

『通勤大学ＭＢＡ７　ストラテジー』

『通勤大学実践ＭＢＡ　決算書』

以上、グローバルタスクフォース著(総合法令出版)

『ＭＢＡアカウンティング』 グロービス著(ダイヤモンド社)

『[新版]ＭＢＡマネジメント・ブック』 グロービス著(ダイヤモンド社)

『リーダーシップ論』 ジョン・Ｐ．コッター著／黒田由貴子訳(ダイヤモンド社)

『企業評価と戦略経営（第２版)』 トム・コープランド＋テイム・コラー＋ジャック・ミュリン著／伊藤邦雄訳(日本経済新聞社)

『マーケティング戦略論』 ドーン・イアコブッチ編著(ダイヤモンド社)

『マーケテイング・マネジメント(第7版)』 フィリップ・コトラー著／小坂恕＋疋田聡＋三村優美子訳(プレジデント社)

『実践　コーポレート・ファイナンス』 高橋文郎著(ダイヤモンド社)

『経営分析の基本的技法〈第3版〉』 田中弘著(中央経済社)

『企業分析シナリオ』 西山茂著(東洋経済新報社)

■著者
グローバルタスクフォース株式会社
（グローバルワークプレイス・ジャパン）
世界18カ国の主要経営大学院54校が共同で運営する公式MBA同窓生組織「Global Workplace」（本部：ロンドン）から生まれたプロジェクト支援組織。日本では、雇用の代替としての非雇用型人材支援サービス「エグゼクティブスワット」を世界に先駆けて展開し、多くの実績がある。イベントやセミナーの開催、携帯テストの提供なども行う。著書に『通勤大学MBA』シリーズ、『通勤大学実践MBA』シリーズ、『MBA 世界最強の戦略思考』、『思考武装』、『ポーター教授「競争の戦略」入門』（すべて総合法令出版）、『図解 わかる！ MBAマーケティング』（PHP研究所）などがある。
URL：http://www.global-taskforce.net

■執筆・構成協力
柴田　健一（しばた　けんいち）
日本生命保険相互会社国際投資部にて外国株式の投資業務に従事した後、ハーバードビジネススクールにてＭＢＡを取得。2001年１月株式会社ベンチャーリパブリック設立。現在、同社の取締役副社長と、子会社２社それぞれの代表取締役、取締役を兼任。東京外国語大学スペイン語学科卒業。

通勤大学文庫
通勤大学MBA8　[Q&A]ケーススタディ
2003年３月３日　初版発行
2004年４月14日　２刷発行

著　者　**グローバルタスクフォース株式会社**
協　力　**株式会社ホーレイメディアネット**
装　幀　**倉田明典**
イラスト　**田代卓事務所**
発行者　**仁部　亨**
発行所　**総合法令出版株式会社**
〒107-0052　東京都港区赤坂1-9-15
日本自転車会館2号館7階
電話　03-3584-9821
振替　00140-0-69059
印刷･製本　**祥文社印刷株式会社**
ISBN4-89346-784-0